윤소흔의 학교 육아일지

학교
육아일지

학교 육아일지

발 행 | 2024년 1월 4일
저 자 | 윤소흔
펴낸이 | 한건희
펴낸곳 | 주식회사 부크크
출판사등록 | 2014.07.15.(제2014-16호)
주 소 | 서울특별시 금천구 가산디지털1로 119 SK트윈타워 A동 305호
전 화 | 1670-8316
이메일 | info@bookk.co.kr

ISBN | 979-11-410-6432-7

www.bookk.co.kr

학교육아일지

윤소흔 지음

차 례

1부. 1학기

2부. 2학기

건너가는 말

학교가 좋은 것은

미래를 볼 수 있기 때문이다

나의 미래는 물론

학생들의 미래와 함께

미래의 사회를 그려볼 수 있기 때문이다

학교 안에서만큼은

나도 학생처럼 자란다

아니

학생들과 함께

자란다

2023년 12월

윤소흔

1부

1학기

첫 부서 배정, 첫 만남

무엇이든 처음의 기억은 굉장히 중요하다. 처음의 기억이 강렬할수록 그것은 이후 삶의 선택에 많은 영향을 미친다.

같은 맥락으로 교사에게 있어서 첫 학교와의 만남만이 아니라 첫 부서 배정 또한 굉장히 중요하다. 흔히 일이 많거나 고된 부서에 처음 배정되게 되면 그 후로도 계속 같은 부서 업무를 배정받을 가능성이 높아지게 되기 때문이다. 오죽하면 같은 부서에 계신 선생님들께 왜 이 부서에 오게 되셨냐고 여쭤보았을 때 나오는 대답이 다 '처음 배정된 부서의 업무였어서.' 였을까.

나는 첫 부서로 생활안전부를 배정받았다. 생활안전부라고 하면 조금은 낯설 수 있지만 예전의 학생부, 생활지도부와 같은 부서이며 현재 '지도'와 같은 부정적인 어감을 줄이고 학생들의 학교생활 속의 안전을 맡는다는 의미에서 생활안전부라고 불리고 있다.

생활안전부. 즉, 학생부의 업무는 예전과 크게 다르지 않았다. 생활지도를 하고 일부 부족한 학생들은 안내와 선도를 함께 진행하는 일들이 주로 진행되었다. 학교에 학생이 있는 한 절대 빠지지 않을 중요한 부서였지만, 그만큼 학생과의 갈등에서도 최전선을 맡아 마음이 많이 상하기도 하고, 흔히 말하는 '몸으로 부딪히고 부대끼며 으쌰 으쌰 하는 부서'였으며 선생님들 사이에서는 '3대 기피 부서'

중 하나였다.

그것을 모두 알고 있었던 이유는 평생을 교단에 서셨던 어머니께 들은 바가 많았던 탓이었다. 걱정이 앞선 내게 어머니께서는 '막내라면 당연히 거쳐야 할 부서'이며 '단언컨대 배울 것이 가장 많은 부서'라고 말씀하셨다. 그리고 그런 어머니의 말씀은 완벽하게 들어맞았다.

배정받은 생활안전부는 부장 선생님을 포함한 총 10명으로 구성되어 굉장히 커다란 규모를 자랑했다. 아무것도 모르는, 심지어 무엇을 모르는지조차 모르는 초보 교사인 내게 맡겨진 업무는 환경 쪽이었다. 어리둥절한 나를 보며 부장님을 비롯한 많은 선생님께서는 무슨 생각을 하시고 어떤 걱정을 하셨을까? 지금 되돌이켜 생각해보면 그저 아무 생각 없이 해맑은 아가 선생님이 왔구나. 하셨을 것 같다.

학창 시절 한 번도 말썽을 일으킨 적이 없었던 탓에 학생부에는 갈 일이 없었고, 그랬던 내 기억 속의 학생부 선생님들은 늘 무서운 표정을 짓고 교문 앞에 서 계신 모습뿐이었다. 다소 차갑고 무거우며 진지한 느낌, 그것이 학생부 소속의 선생님들께 느껴지는 공통적인 느낌이었기에, 아무것도 모르고 그저 해맑은 나와는 전혀 맞지 않으면 어떻게 해야 할지 걱정이 많았다.

그런 나에게 가장 먼저 다가와주신 분은 다름아닌 부장 선생님이셨다. 내가 해야 할 업무에 번호를 달아가며 하나하나 읊어주시다가, 조금씩 늘어나는 업무 목록에 미안함을 담은 목소리로 힘든 것은 함께 할 테니 걱정말라며 격려해주신 분. 이런 자상하고 다정한 목소리에 매너가 넘치는 분이 생활안전부 부장 선생님이라니. 내가 알고 있던 학생부의 이미지가 완벽하게 깨지는 순간이었다.

첫 업무에 아무것도 몰라 버벅거리자 처음부터 차근차근 알려주시고 도와주시던 부장 선생님부터 옆자리로 만나 반갑다며 인사해주시던 선생님, 역부터 먼 출근길에 망설임 없이 차에 태워 함께 출퇴근해주시던 선생님, 바쁜 와중에 미처 챙기지 못한 내 물건을 챙겨주시던 선생님, 첫 시작에는 FM대로 하는 것이 중요하다며 꼼꼼히 매뉴얼을 알려주시던 선생님, 조용하게 다가와 내가 어려움을 겪을 때마다 조언과 도움을 주시던 선생님들까지.

무엇 하나 빠지지 않고 완벽한 조합의 부서였다. 그 모든 선생님께서 첫 업무를 맡은 아가 선생님을 돌보고 신경 써주시고 도움을 주셨다. 감사함은 날이 갈수록 커져갔고, 그런 내가 할 수 있는 것은 밝은 긍정 에너지를 드리는 일이었다. 환한 미소와 인사는 부서에 쌓여 밝고 경쾌한 분위기를 만들었고, 그로 인해 학교에 또 다른 가족이 생기게 되었다.

선생님 제가 누구게요?

"선생님, 제가 누구게요?"
"선생님, 제 이름이 뭐게요?"

복도를 지나다니다 보면 조심스레 다가와 수줍게 물어보는 학생들이 있다. 이런 질문이 나오게 된 데에는 다 이유가 있었다.

초보 교사로서 수업이 시작하고 나서 가장 문제가 되었던 것은 수업 준비보다도 코로나로 인한 마스크 착용이었다. 가뜩이나 유행따라 비슷한 머리 스타일과 성장기에 걸맞은 비슷한 체격, 비슷한 발성까지 구분조차 힘이 드는데 마스크는 거기에 한몫을 제대로 하기 때문이었다. 마스크와 뿔테 안경, 이마를 덮은 앞머리가 더해지면 성별을 제외한 구분이 거의 불가능할 정도로 모두 비슷했다.

그래도 한 명 한 명 최대한 기억에 남기고픈 초보 교사의 마음은 어쩔 수가 없었다. 결국 해결책으로 나는 수업에 들어가 학생들에게 이런 어려움을 알리고 내 기억에 잘 남도록 노력해달라는 말을 전했다. 그리고 앞선 질문을 건넨 학생들은 그런 내 당부의 말을 그대로 실천하는 예쁜 학생들이자, 앞으로 내가 쭉 외우게 될 사랑스러운 아이들이었다.

생활안전부 업무 중 하나는 급식지도였다. 급식지도는 학생들이 급식 줄을 설 때 관리 감독하는 업무로, 매주 생활안전부 선생님들끼리 돌아가며 맡았다. 하지만 나는 내가 나가는 날이 아니어도 꽤 종종 나가고는 했는데(물론 부서 선생님들을 도와드리려는 이유도 있지만) 그것보다도 가장 큰 이유는 학생들을 만나기 위해서였다.

급식 시간은 전교생의 얼굴을 볼 수 있는 유일한 시간이었다. 학교에서 생활하면서 급식 줄을 설 때만큼 학생들의 활기찬 모습은 쉽게 볼 수 없다. 아무리 열심히 하는 학생일지라도 그날의 컨디션에 따라 수업에 집중하기 어려워하거나 피곤해하는 모습을 볼 수 밖에 없는 것이 사실이기에, 나는 최대한 학생들이 다 깨어 밝게 움직이는 급식 시간을 활용해 학생들의 얼굴을 마주 보고 한 명이라도 더 인사를 나누기 위해 애썼다. 그것이 바로 연륜 없는 초보 교사로서 학생들과 가장 빠르게 라포를 형성하는 나만의 방법이었다.

물론 그러다 보면 이름도 반도 모두 엉망진창 헷갈려서 학생을 뜬금없는 이름으로 부른다거나, 확신을 가지고 당당하게 불렀는데 그 아이가 아니었다거나 하는 웃픈 일들도 많지만, 그럼에도 학생들은 나의 노력을 가상히 여겨주는지 굉장히 좋아하고 괜찮다며 자신의 이름을 다시금 되뇌어주었다.

그렇게 열심히 외우고 있다보면 이따금 급식지도가 힘드시겠다며 사탕을 쥐여주는 학생, 날이 더운 날 괜찮으시냐며 걱정 어린 말을 묻고 가는 학생, 선생님은 식사 다 하시고 지도하시는 거냐고 걱정해주는 학생, 오늘의 있었던 일을 떠들면서 맛있게 먹겠습니다! 를 외치고 들어가는 학생, 주머니를 뒤적여 손하트를 꺼내 건네주는 학생, 샘-하!(선생님 하이!)를 외치면서 다른 친구들에게 나를 자랑하는 학생, 나한테 배우지 않아도 꾸벅 인사를 하고 웃으며 지나가거나 애교를 부리는 학생까지. 하나같이 빠짐없이 사랑스럽고 예쁘기 그지없는 아이들이었다.

급식지도 줄을 세우면서 업무의 연장이 아닌 힐링을 받는 초보 교사는 오늘도 학생들의 이름을 외우려 출석부를 펼친다.

저 학교 가고 싶어요!

"저.. 진짜 하나도 안 아픈데 그래도 본인이 걸린 거면 학교 가면 안 되는 거죠..? 진짜 학교 가고 싶은데.."
".. 선생님 마음은 알지만 안 돼요. 일주일 푹 쉬고 학교에서 봐요."
"네에.."

첫 해 근무를 시작하면서 나는 주체할 수 없는 행복감을 만끽했다. 학교까지 출퇴근 길만 한 시간 반이 족히 넘어서 새벽 5시 20분에 기상해야 했지만, 그럼에도 전혀 힘들지 않았다.

내가 가장 따르게 된 부서의 부장님을 포함하여 매일 밤 꿈에 각 부서의 부장님들이 돌아가면서 나왔고(신기함에 직접 말씀드렸을 때는 모두가 악몽 아니냐며 웃으셨다.), 그 외에도 부서 선생님들, 학생들과 심지어 교감선생님, 그리고 학교까지도 배경으로 매일 같이 나올 지경이었다.

일요일 저녁이 되면 학교를 간다는 생각에 설레어 밤잠을 이룰 수 없었고, 학생들을 본다는 마음에 입꼬리가 귀에 걸린 채 침대에 누워 천장에 아이들 이름을 써댔다.

중학생 시절 아이돌을 좋아했어도 이 정도는 아니었는데. 이렇게까지 학교에 상사병일 수가 있는 걸까? 나 스스로도 너무 웃길 만큼 학교가 좋아서 정말 주체를 할 수 없었다.

그렇게 좋아했던 학교를 가지 못하게 될 것이라고는 생각조차 하지 못했지만.

"아.. 아? 아.. 아.."

새 학기가 시작한 뒤 정확히 일주일이 흘렀을 무렵, 코로나로 인해 연달아 터지는 보강과 수업의 연속으로 피곤함을 느끼던 토요일 아침이었다. 평소와는 다르게 목이 매우 가라앉아 있음이 느껴졌는데 그것은 마치 대학교 4학년 시절 교생실습을 앞두고 성대결절을 겪었을 때와 비슷한 증상이었다.

목소리를 내는 데에는 아무런 무리가 없지만, 그럼에도 목은 아예 가라앉아 있는 상태. 누가 봐도 나는 괜찮지만 타인의 눈에는 안 괜찮은 상태였다.

"설마..?"

문득 끔찍한 생각이 스쳤다. 이것이 코로나라는. 아니 3차까지 맞았는데 개학한 지 일주일 만에 코로나라고? 그게 말이나 되는 소리인 건가? 나는 그런 생각을 되씹으며 서둘러 코로나 자가검사 키트를 꺼냈다.

결과는 두둥! 두 줄이었다. 보통 같았다면 쾌재를 불렀을지 모를 두 줄에 나는 비명을 질렀다. 두 줄이라는 것은 코로나 확진이라는 의미며, 그것은 곧 학교를 못 간다는 의미였으니까.

당장 이번에 돌아올 주에만도 새로운 아이들을 봐야 하고, 동아리 아이들과도 인사해야 하는데. 이게 대체 무슨 날벼락이냐고! 머리를 연신 쥐어뜯던 나는 결국 교감 선생님과 교무부장 선생님, 담당 선생님, 그리고 부장 선생님께 연락을 드리며 일주일 뒤를 기약해야 했다.

"안 아파도 갈 수 없는 거겠죠? 본인이 걸린 거면..? 저 진짜 학교 가고 싶은데.."

간절하고도 웃긴 내 질문에 선생님들은 뭐라고 생각하셨을까? 참 열의 넘치는 초보 선생님의 응석이라며 웃으셨을 터였다.

새 학기가 시작하면 많은 선생님이 아프시다는 이야기를 들은 적이 있었다. 그만큼 새 학기는 신경 쓸 것이 많고 힘들다는 의미였다. 그렇지만 그 힘듦도 초보 교사인 내게는 해당하지 않았다. 아마도 딱 올해가 처음이자 마지막으로 해당하지 않겠지.

그렇기에 즐기기로 했다. 이 행복이 익숙해지기 전에, 그래서 언제 찾아왔냐는 듯 사라져 버리기 전에.

Question Maketh Bodyguard

'Manners Maketh Man.'

매너가 사람을 만든다. 이것은 영화 킹스맨에서 빠질 수 없는 명대사이자 흔히 말하는 젠틀맨을 설명하는 한 문장이다. 그리고 좌충우돌 초보 교사인 나는 이 문장을 이렇게 바꿔 읽고 싶다.

'Question Maketh Bodyguard.'

음, 이렇게만으로는 와닿지 않을 수도 있을 것 같다. 그렇다면 좀 더 정확하게 문장을 표현해볼까?

'Question Maketh Lovely Bodyguard.'

질문은 사랑스러운 보디가드를 만든다.

단 하나의 질문으로 사람의 인생을 바꿀 수 있다. 나 또한 초등학교 6학년 때 담임 선생님께서 건네주신 "너 브레드보드 한번 해볼래?"라는 질문으로 인생이 바뀌었다. 반에서 아예 존재감이라고는 찾아볼 수도 없던 나를 봐주시고 그 자체로 빛날 수 있도록 독려해주신 은사님. 나는 인생을 살면서 단 한 명이라도 좋으니, 누군가에게 그런 교사가 되고자 교단에 서는 꿈을 꾸었다.

그랬던 나마저 놀라게 만든 한 남학생이 있었다. 정신없는 학기 초가 지나고 나름대로 익숙해진 교실에 들어간 어느 날 창가에 앉은 어떤 한 남학생이 눈에 띄었다. 그동안 한 번도 본 적이 없었던 것 같은, 완전한 초면이라는 생각에 나는 어떻게 그럴 수가 있을까. 내가 아직 한참 멀었구나. 하고 반성하며 말을 걸었다.

"친구야. 너는 이름이 뭐니? 원래부터 그 자리에 앉았었니?"

학생은 자신이 불렸다는 사실이 어색한 듯 작은 목소리로 자신의 이름을 대며 고개를 끄덕였다. 자리표를 보아도 내가 첫 시간에 부른 적이 있던가 싶을 만큼 기억이 나지 않는 학생이었다. 다소 미안함을 느낀 나는 한마디를 더 던졌고, 그 결과가 어떻게 다시 돌아오게 될 것인지 미처 알지 못했다.

"와! 근데 왜 그동안 샘이 못 봤을까? 이렇게 하얗고 훤칠하게 잘생긴 친구가 있었는데! 안녕, 반가워! 미안해, 선생님이 다음부터는 우리 친구 이름 잘 외워볼게."

주변 학생들은 그동안 수업 시간마다 엎드려 있었어서 못 보셨을 거라며 키득거렸지만 나는 볼 수 있었다. 그 학생의 눈동자가 커지고 그 무엇보다도 빛나는 그 순간을.

그날 이후, 정확히 말하면 그 수업 시간 이후 그 학생은 단 한 번도 내 수업 시간에 잠들지 않았다. 이따금 다른 짓을 하더라도 내가 말을 시작하면 집중하려고 애썼고, 다소 서툴러도 발표를 하려고 자발적으로 발표 명단에 신청을 했다. 급식지도 줄에서도 항상 밝게 인사를 하고, 수업이 끝나면 복도로 서둘러 나와 교무실까지 따라왔다. 학생들이 가장 기피할 법도 한 교무실이었지만 그 학생에게는 전혀 문제가 되지 않아 보였다.

그 남학생이 있던 반은 유독 나를 따라주는 예쁜 학생들이 많은 반이었기에 항상 수업이 끝나면 6, 7명이 함께 교무실까지 따라왔다.

한 번은 내가 "너희 근데 왜 샘 따라오는 거야? 이렇게 많이 따라오면 샘이 좀 부끄러운데."하고 묻자, 다른 누구보다도 빠르게 그 학생이 답했다.

"아, 샘! 혼자 가시다가 다치시면 어떡해요. 저희가 보디가드 해드릴게요!"

그 대답에 나는 복도에서 박장대소를 하고 웃어버릴 수밖에 없었다. 질문은 곧 관심이며, 관심의 힘이 인생을 바꿀 만큼 강력하다는 것을 온몸으로 겪어서 알고 있는 내게 있어, 이렇게 더없이 사랑스러운 보디가드가 또 어디에 있을까?

이제 시작된 학기가 끝날 때쯤이면 얼마나 더 매너 있고 사랑스러운 보디가드가 되어있을지, 벌써부터 기대가 된다.

첫 시험감독, 뚝딱뚝딱

"으어어.. 선생님.. 어떡하죠? 손에 자꾸 땀이 나고 속이 메슥거려요.."
"아니, 선생님! 왜 이렇게 떨어요? 시험은 애들이 보는데!"

1학기 중간고사 첫날, 안색이 파리해진 학생들과 피로감에 찌든 학생들 사이로 하얗게 질린 선생님이 있다면 믿겠는가?

시험문제가 잘못된 것도 아니고, 자신이 시험을 보는 것도 아닌데, 하얗게 질린 채 뚝딱거리는 선생님이 있다면 그것은 분명,

시험감독이 처음인 경우가 되시겠다.

1년을 선생님들과 함께 근무하면서 자부할 수 있게 된 것은, 선생님들의 눈에 정말 보기 희귀한 케이스가 바로 나라는 것이었다. 문득 생각하는 그 모든 것이 처음인, 완벽한 첫 초보 교사. 그것이 나였으니까.

첫 부서 배정, 첫 업무, 첫 협의회, 첫 부서 회식, 첫 내부 기안, 첫 41조 연수, 첫 피크닉, 첫 워크숍, 첫 송년회, 첫 술..

그리고 첫 '시험감독'.

사실 엄청나게 부담을 가질 필요는 없지만 기본적인 매뉴얼이라는 것이 존재하고, 갑작스러운 상황에 대해 어떻게 해야 하는지 알지 못하는 뚝딱이 초보 교사에게 있어서 첫 시험감독은 가슴이 터질 만큼 긴장되는 일이었다.

더욱이 시험지 봉투에 써넣어야 하는 칸부터 혼란스럽기 그지없었다. 재적? 결시? 결번? 이건 또 뭐야? 어떻게 써야 하지? 애들이 없는 자리에는 시험지와 답안지를 안 놓는 게 맞나? 중간에 화장실을 가고 싶다고 하면 어떡하지? 금속탐지기는 어떻게 쓰는 거지? 금속탐지기에서 소리가 나면 어떡하지? 중간에 갑자기 질문이 들어오면 어느 선생님께 연락드리면 되는 거지? 핸드폰이 울리거나 갑자기 돌발행동을 하는 학생이 있다면? 내 실수로 민원이라도 들어오면?

"선생님!! 저 너무 걱정돼요오오옥!!"

수도 없이 이어지는 물음표의 끝에 서서 절규하는 나를 구원해주신 분은 다름 아닌 기획 선생님이셨다. 빛나는 엘리트이시자 학교의 모든 선생님이 인정하는 FM 그 자체, 빈틈없고 철두철미한 나의 롤모델 선생님. 선생님께서는 덤덤하게 자리에서 일어나 걱정에 질려있는 나를 향해 자신 있게 말씀하셨다.

"자! 따라오세요. 이제부터 차근차근 다 알려드릴게요."
"시험지는 여기에서 가지고 갑니다. 보통은 미리 가지고 가야 시간에 쫓기지 않아요."

"시험지를 수령할 때는 반드시 한 번 더 반을 확인하세요. 간혹 헷갈려서 다른 반 것을 들고 갈 수가 있으니까요."

"보통 시험 시작 5분 전에 배부를 시작 해야 하기 때문에 시험 시작 10분 전에는 반으로 출발하시는 게 좋아요. 우리가 몇 반이었죠? 맞아요. 그럼 가볼까요?"

"처음 도착해서는 보던 것들과 가방을 다 치우고, 핸드폰을 포함한 전자기기의 소지 여부를 반드시 확인하세요. 자, 얘들아. 이제 보던 거 다 집어넣고 전자기기도 다 꺼서 가방에 넣으세요."

"시험지는 반드시 아이들이 보는 곳에서 개봉하세요. 2, 3학년의 선택 과목인 경우 이렇게 명단표가 있는데, 이것은 시험 시작 전에 이름을 불러서 체크해도 되고, 시험 중간에 도장을 찍을 때 함께 체크하셔도 됩니다. 이건 선생님께서 한 번씩 해보시고 편하신 대로 하세요."

"빈자리에는 시험지를 놓으실 필요 없어요. 다 나누었으면 가운데 서서 아이들이 먼저 풀지 않도록 감독하고요, 종 치고 10분이 지난 뒤에 도장을 찍으시면 돼요."

"화장실은 같은 성별의 선생님이 가시면 되고, 금속탐지기는 소리가 크게 울리지 않게 해주셔야 해요. 다른 반 아이들이 놀랄 수 있으니까요."

"시험 종료 10분 전, 5분 전에는 반드시 안내를 해주고, 종이 치면 바로 뒤에서부터 걷게 한 뒤, 반드시 번호와 장수가 맞는지 확인하셔야 해요."

"다 끝난 시험지는 이곳에 버리고, 걷은 시험답안지와 남은 답안지는 여기 담당 선생님께 제출하시면, 끝이 납니다."

쫄래쫄래 따라다니며 배운 순서와 유의사항은 포스트잇에 고스란히 담겨 도장과 펜을 넣은 필통에 1년간 자리 잡았다. FM 선생님은 그 포스트잇을 보시고 흡족한 표정을 지으셨고, 나는 그 이후에도 모든 감독을 들어갈 때면 단 하나만을 기억했다.

'내가 감독을 대충 하게 되면, 나를 가르쳐주신 FM 선생님께 누가 될 거야. 그러니 처음 알려주신 그대로, 원리원칙대로. 그렇게.'

그래서였을까? 그날 이후 같이 감독을 하게 된 많은 선생님께서 내가 도장을 찍는 동안 내가 쓴 그 메모를 읽으셨고, 나의 감독 태도에 많은 칭찬을 해주셨다.

"와, 선생님. 어떻게 이렇게 흔들림 하나 없이 감독을 해요? 너무 대단한데!"

기특하고 대견하다는 듯 칭찬을 받을 때면, 항상 나는 이렇게 답하게 되었다.

"헤헤. 저는 FM 선생님께서 말씀해주신 대로 한 것뿐인걸요! 이게 다 FM 선생님의 가르침 덕분이죠. 이쁘게 봐주셔서 고맙습니다, 선생님!"

첫 스승의 날 기념은 쿵!

"아니.. 어쩌다가 다치셨어요?"
"그게.. 학생이 좋다고 다가와서..? 놀라서 넘어졌어요. 하하.."
".. 네?"

음료를 손에 든 채 반 대항 축구 경기를 응원하면서 급식지도를 하고 있었다. 그날은 첫 스승의 날 기념으로 장미꽃을 받았던 아주 마음이 간지러웠던 날이었다.

반 대항 경기는 무척이나 열기를 띠었다. 나도 무척이나 보고 싶었지만, 물만 마셔도 무럭무럭 자라는 남학생들 사이에서는 나름 키가 큰 나조차도 다 가려서 보이지 않았다.

그래서 화단 앞으로 한 칸 올라갔고, 그대로 아이들을 지도하고 축구를 구경하며 무척이나 평화로운 시간을 보내고 있었다.

그리고 그 순간,

"선생님!!!!"

내 수업을 듣던 장난꾸러기 남학생이 나를 보고 뒤에서 확 다가왔다. 그리고 신체 운동 능력이 꽝이었던 나는 갑작스레 다가온 소리에 놀라 그대로 앞으로 고꾸라지고 말았다.

"꺄악!!"

쿵!

필사적으로 옆에 있던 봉을 잡았을 때 내 시야에 들어온 것은, 쏟아진 음료로 엉망이 되어버린 두 손과 토끼 눈을 한 부장님, 부서 선생님, 그리고 나를 놀라게 한 남학생이었다.

"……"

정적이 흘렀다. 남학생은 아무것도 하지 못한 채 선생님, 선생님을 되뇌며 어버버 거리고 있었고, 나는 간신히 몸을 일으켜 화단에서 내려왔다. 그리고 그제서야

욱신!

커다란 통증과 함께 오른쪽 정강이에 보란 듯이 찍혀버린 상처가 눈에 들어왔다.

"선생님! 어서 일단 화장실부터 가세요! 거기 친구야? 선생님 좀 부축해 줄래?"

눈앞에서 맥없이 고꾸라져버린 막내 선생님을 부축하기 위해 다른

학생들이 달려왔고, 나는 절뚝이며 화장실로 향했다.

아이고 이 꾸러기야. 하필 이런 장난을 쳐도 어떻게 딱 부장님과 부서 선생님 앞에서 그랬니. 라는 차마 내뱉지 못한 작은 한탄과 함께.

뒤처리를 마치고 절뚝이며 자리에 와서 앉은 순간 온몸에 퍼지는 통증에 신음이 터져 나왔다. 갑작스레 힘을 준 탓에 다리와 허리까지 무리가 온 것 같았다. 더욱이 오른쪽 무릎이 다쳐서 약한 상태였는데 오른쪽 정강이가 찍혔으니 당연히 아플 수밖에 없었다.

"아주 많이 혼냈어요. 어디 여선생님 뒤에서 그렇게 놀라게 하냐고. 스승의 날에 꽃을 드려도 시원치 않을 판국에."
"아.. 감사드려요, 선생님."

부서 막내 선생님이 당한 습격(?)에 매우 화가 나신 부장님과 부서 선생님께서 말씀하셨다. 그 말씀을 듣고 있자니 괜스레 죄송스러워지는 것은 어쩔 수가 없었다.

"병원 가봐요. 그거 그렇게 놔두면 안 돼요."
"네.. 조금만 더 있어 보고요."

바로 병원으로 갈 수가 없었다. 가만히 앉아 찜질을 하는 와중에도 계속 그 남학생의 표정이 어른거렸으니까. 얼마나 놀랐던 모습이었는지. 그 표정을 다독여주지 못하고 들어와야 했던 상황에, 괜히 볼일을 보고 손을 씻지 못한 것처럼 찝찝하고 마음이 무거웠다.

똑똑-!

"저.. 윤소흔 선생님 계신가요..?"

그런 생각과 함께 작고 떨리는 목소리가 나를 찾았다. 나는 들어오라는 말과 함께 고개를 들어 습격자를 바라보았다.

"선생님.. 죄송합니다.. 죄송해요. 저는.. 저는 그렇게 선생님 다치게 하려고 한 게 아닌데.. 그게 선생님이 너무 반가워서.. 좋아서 그런 거였는데.. 하.. 죄송합니다.."

남학생은 중간중간 울음 섞인 채 자신 스스로를 탓하고 자책하며 죄송함이 가득 담긴 사과를 건넸다. 남학생의 자책의 눈물이 고인 눈을 보았을 때, 내가 할 수 있는 것은 단 하나뿐이었다.

"많이 놀랐지?"

놀라서 바짝 서버린 학생을 다독여 주는 것. 화? 그런 건 전혀 나지 않았다. 그 학생의 눈동자에 담긴 감정을 읽어버린 한, 난 화가 날 이유도, 화를 낼 이유도 없었으니까.

"선생님은 괜찮아. 네가 선생님을 다치게 하려고 한 게 아니란 것도 알아."

"음.. 그런데 있잖아. 사람들은, 특히 여자들은.. 뒤에서 남자가 갑자기 다가오면 많이 놀라거든. 그러니까 이런 장난을 치면 또 다른 친구들도 다칠 수도 있어."
"그러니까 다음부터는 이런 장난치면 안 돼? 더 매너 있는 멋진 남자가 되기로 약속. 어때?"

거의 울음을 터트리기 직전의 그 학생은 나의 말에 가슴속 무엇인가가 와르르 무너지는 것 같았다. 그것은 아마도 자신을 향해 쏘아질 비난과 미움, 그것들을 가늠하고 두려워하고 있던 마음이었을 터였다.

"고맙습니다.. 고맙습니다.."

언제든 잘못은 할 수 있다. 그리고 그것으로 인해 혼나고 그 모든 것들이 안 좋은 기억으로 남을 수도 있다. 하지만 그 잘못이 좋은 마음에서 비롯된 것이라면, 그것을 반드시 잘못이라고 할 수 있을까?

잘못은 잘못으로, 마음은 마음으로, 온전하게 나누어 바라보고, 보다 더 정확한 부분을 짚어 들어주고, 이해해주고, 알려주고 싶다.

그것이 바로 진정한 교육이라고, 믿고 있으니까.

눈동자는 모든 것을 담는다.

"선생님은 여자반이 좋으세요? 남자반이 좋으세요?"
"어.. 글쎄요? 어디가 더 나은가요?"

선생님도 사람이기에 저마다의 선호도를 갖는다. 그중에서도 단연 확실한 호불호는 학생의 성별일 것이다.

나는 처음에 남자반만 6개 반을 맡게 되었다가 교무실로부터의 동선의 문제로 협의 하에 남자반 4반, 여자반 2반을 가르치게 되었다. 그리고 왜 선생님마다 성별에 대한 선호도가 달랐는지, 뼈저리게 느낄 수 있었다.

남녀 공학이라 해도 남녀 합반의 느낌과 분반의 느낌은 확연히 달랐다. 그리고 특히 젊은 여자 선생님일수록 상대적으로 남학생들 반을 어려워하는데, 그 이유는 언제 터질지 모르는 돌발 지점을 잡아내기 어려운 데에 있었다.

틈만 나면 장난치는 남학생들의 그 '선'을 이해하기 어려웠고, 그들끼리의 그 '선'이 넘어가는 순간 돌변해서 진심으로 부딪히는 장면을 진정시키기 어려웠다. 나 또한 중학교에서 근무할 때 남학생들의 싸움에 휘말렸던 적이 있었는데(그것은 다음에) 고등학생은 상대적으로 자신의 감정을 조절하기는 하나, 그래도 아직 어려 미숙한 부분들이 있어 종종 자기들끼리 충돌이 나곤 했다.

이때에도 비슷한 일이 있었다. 운동을 하는 학생 A와 나를 잘 따르는 학생 B가 서로 내 시선과 관심을 받기 위해 말을 걸고 대화를 시도했다. 아무리 내가 잘 들어주는 굿 리스너여도 동시에 두 학생과의 대화는 불가능했다. 그리고 조금 더 나를 따라오려는 A를 B가 막아선 순간,

두 학생의 눈에는 불꽃이 튀었다. 그것은 분명 싸움의 신호이자, 반드시 상대방을 꺾겠다는 도전장이었다.

"안돼!!! 그만!!!"

학생이 다치는 건 절대 안 되는 일이기에, 나는 생각할 겨를도 없이 다급하게 A의 앞을 막아섰다. 그것이 자칫하면 내가 다칠 수 있는 위험한 일이라는 것을 알면서도.

다급히 앞을 막아선 나를 눈에 담은 순간, A의 눈은 시시각각으로 변했다. 치솟는 분노부터 당황스러움, 그리고 실시간으로 진정하는 모습과 자신의 안 좋은 모습을 보였다는 부끄러움까지.

그러더니 이내 A는 자리를 박차고 일어나 화장실로 향했다. 나는 A가 자신의 감정을 진정하고 올 시간이 필요하다는 것을 느꼈기에 말없이 기다렸다. 조금의 시간이 지난 뒤 A는 자신의 감정을 추슬렀는지 대걸레질을 하며 복도 청소를 시작했다.

그일 이후 A가 말을 건 것은 며칠이 지난 후 복도에서였다. 그 일에 대한 어색함과 선생님이 자신을 미워할지도 모른다는 두려움을 담은 채였다.

"선생님..!"
"안녕! 이제 괜찮아?"

내 변함없는 목소리와 모든 것을 담은 질문에, 세상 환한 미소를 지어 보이던 A. 싸움을 시작하려던 그 불꽃 튀기던 눈동자가, 나를 알아보고 진정하려 애쓰던 그 모습이 어떻게 기특하고 대견하지 않을 수 있을까?

A는 알지 못했겠지만 나는 그 눈동자를 본 순간부터 알 수 있었다. 단순히 싸움을 시작하려 했다는 이유로 '문제아'라는 낙인을 찍기에는, 너무도 멋지고 사랑스러운 학생이라는 사실을.

그날 이후 A는 여전히 내게 잘 다가오고, 나는 조금 더 남학생들의 시그널을 읽을 수 있게 되었다. 이렇게 조금씩이나마 학생들의 눈을 읽고 교감한다면, 조금 더 학생들의 진심을 바라봐줄 수 있지 않을까?

그런 생각을 하며 초보 교사는 오늘도 학생들의 눈을 보기 위해 노력 중이다.

나 이런 사람이야~!

"자리 괜찮아요? 불편하지는 않아요?"
"네, 괜찮아요! 엄청 즐거운데요!"
"어디 불편하거나 그런 건 없죠? 있으면 바로 말해줘요. 언제든 집에 가고 싶어도 꼭 제게 말해요. 알았죠?"
"네, 그럴게요. 감사해요!"

위의 대화가 어떤 사이의 대화 같으신가? 다정하고 자상한 연인? 오우. 노놉. 이것은 정말 웃기고도 기분 좋은 상황의 대화라고 봐야 했다. 바로,

삐약이를 둘러싼 두 부장님의 삼각관계 대화였으니까.

나는 부모님께 생애 첫술을 받은 후(그것도 와인으로 두 잔이었다.), 대학 가서도 술을 아예 마시지 않았다. 술자리 분위기도 좋아하지 않았고, 술 냄새도 그다지 좋지 않아서 '안' 마시다 보니 나는 자연스럽게 '못' 마시는 사람이 되어있었다. 일일이 설명하는 것도 귀찮다 보니 나는 새로운 사람을 만날 때마다 탄산, 커피, 술은 마시지 않는다고 이미 이야기해 놓은 상태였다.

인생의 첫 회식이 있던 날. 부서 회식이자, 코로나로 인해 한동안 하지 못했던 회식. 그것도 10명이나 되는 큰 부서다 보니 교장선

생님, 교감선생님, 교무부장님까지 참석하시는 거대한 회식이 되었다.

술자리라니! 회식이라니! 삐약이 인생에 한 번도 없었던 무서운 단어였지만 이번에는 달랐다. 너무도 좋은 선생님들과 부장님 덕분에 나는 태어나 처음으로 스스로 '술을 마셔보고 싶다'는 생각을 하게 되었으니까.

실제로 집에서 종류별로 술도 미리 마셔보고, 어느 정도 마셔야 하는지에 대해 부모님께 교육도 받았다. 마시다 보면 힉-! 하고 기분이 좋아지는 순간에 그만 마셔야 한다고, 열심히 되뇌면서 회식 자리에 참석하게 되었다.

교장선생님께서는 일이 있으셔서 오시지 못하셨지만, 교감선생님께서는 조금 늦게 참석하셨다. 그리고 나는 생애 첫 회식임을 알리며 (부모님이 안 계신 자리에서 마시는) 첫술을 마시게 되었다.

테라. 맥주. 시원하고 차가운 것을 보면 냉장고에 있던 거긴 한데, 왜 탄산이 많지 않은 느낌인지. 그것 또한 분위기 탓일까? 고기를 신나게 구워 먹으며 맥주를 마시다 보니 어느샌가 잔이 비었고, 두 번째 잔을 마시며 즐거운 1차를 보냈다.

2차로 맥줏집에 도달했을 때는 자리가 바뀌고 또 다른 이야기꽃을 피웠다. 그전까지 대화 나누지 않던 선생님과도 대화를 나누고 웃음을 터트렸다. 그리고 그 순간,

"선생님!! 어서 오세요!"
"응, 맛있게 잘 먹고 있었.. 어라..?"

뒤늦게 합류하신 교무부장님께서는 선생님들과의 인사 후 가장 먼저 내 앞의 잔을 확인하셨다. 황당하다는 표정으로 나를 바라보시는 그 의미를 나는 알고 있었는데, 사실 동 교과이신 교무부장님께서는 내가 술을 안(못) 먹는 것을 알고 계셨기 때문이었다.

"아니? 선생님..? 이 잔은 뭐죠?"
"저 술 마셨어요! 히히!"
"아니.. 선생님께서 회식 자리 곤란하실까 봐 부랴부랴 왔더니 술을 드시고 계시네..?"
"ㄴ네..?"
"어디 세상 무서운 줄 모르고 그렇게 막 술을 마셔요!"
"으악!"

나를 걱정해서 오셨다는 교무부장님께 혼이 잔뜩 나고도 나는 3차를 갔다. 이유는 단 하나, 멋진 아이돌 부장님의 노래를 듣고 말겠다는 굳은 의지 때문이었다.

"선생님? 집에 안 가요?"
"안 돼요오! 저 이번 회식의 목표가 두 가지인데, 첫 번째가 고기고, 두 번째가 우리 부장님 노래 듣기란 말이에요!"
"하...(말잇못)"

교무부장님께서는 아이고.. 하시면서도 내가 목소리에 예민하다는 것을 너무 잘 아셔서인지 더 말씀하지 않으시고 나를 따라오셨다. 불편하거나 집 가고 싶으면 언제든 이야기하라는 당부와 함께.

쿵쿵 울리는 정신없는 노래방 속에서 돌아가며 노래를 불렀고, 자리에 앉아 박수 치는 내게 돌아가며 계속 말을 거신 분은 다름 아닌 두 부장님이셨다.

"괜찮아요?"
"힘들지는 않아요?"
"불편하거나 집 가고 싶으면 바로 말해요."
"분위기 괜찮아요?(거북스럽거나 불편하지 않느냐는 의미였다.)"
"술은 마시기 싫으면 더 마시지 않아도 돼요. 이쯤 되면 더 마실 사람들만 먹는 거니까요."
"굿모닝. 몸은 괜찮아요?"
"어제는 잘 들어갔어요?"
"혹시 회식하면서 불편하거나 그런 건 없었죠?"

그렇게 삐약이를 향한 두 부장님의 걱정은 그날을 넘어서 그다음 날까지도 계속되었고, 나는 걱정하시지 말라는 의미에서 몇 번이고 말씀드려야 했다.

"네!! 저 진짜 더없이 완벽하고 행복한 첫 회식이었어요! 최고예요!"

멋모르는 삐약이의 첫술과 회식은 이렇게 끝이 났다. 비록 힉-! 하고 좋아지는 지점을 찾기 전에 배가 불러서 못 마셨지만, 계속 내가 취한 건 아닌지, 상태는 괜찮은지, 확인하시는 부장님들께 감사했다.

그 와중에 끝도 없이 이어지는 두 부장님의 삼각관계 같은 걱정에 철딱서니 없이 기분이 좋았다. 그 기분이 더 멋진 첫 회식의 기억을 꾸며준 것 같아서, 지금도 그날만 떠올리면 배시시 웃음이 흘러나온다.

회식이 처음인 삐약이 교사를 나도 언젠가 볼 수 있을까? 그런 때가 된다면 두 부장님께 받았던 만큼 챙겨줄 수 있는 멋진 어른이 되고 싶다. 그래서 그 선생님이 또 시간이 흘러, 새로운 삐약이 교사에게도 베풀 수 있도록.

그렇게 된다면 그 누구도 불편해하지 않을, 모두가 즐겁게 즐기는, 그런 멋진 회식 문화가 만들어지지 않을까.

그래서 그렇게 예쁘게 크셨구나

"프린트 연결해 드릴까요?"
"네? 아! 고맙습니다!"

생활안전부에 근무하면서 첫인상이 굉장히 독특했던 선생님이 계셨다. 차가우신 듯하면서도 친절하시고, 그렇다고 다가가기에는 조금은 사무적이신 듯한 느낌. 그런 느낌의 선생님은 처음 내게 다가와 익숙하게 컴퓨터와 프린터를 연결해 주셨다.

너무도 익숙한 연결에 처음에는 생활안전부 선생님이 아닌 줄 알 정도로, 그렇게 차분하고 조용하시며 조금은 거리감이 있는, 그런 분이셨다.

아, 조용한 걸 좋아하시는 것 같은데 나는 시끄러운 편이니, 어쩌면 선생님께서는 불편하실 수도 있겠다. 조심해야지. 그게 내가 처음 생각했던 마음이었다.

부디, 나의 스타일이 선생님께 불편을 안기지 않기를 바라며.

시간이 지나고 선생님과 몇 마디 나누게 되었을 때, 나는 안도했다. 걱정과 달리 선생님께서는 대화하는 것을 무척 좋아하셨기 때문이었다. 굉장히 심플하게 이야기하시는 편이었지만 그 말씀 하나

하나에 담긴 긴 관찰과 관심이 좋아서 나는 그 선생님과 자주 대화를 나누었다.

"이럴 땐 번거롭게 하지 말고 학생들에게 부탁하는 게 좋아요."
"이런 상황에서는 학생들을 혼내는 연기를 할 줄 알아야 해요."
"그럴 때 단호하지 못하면 학생들도 헷갈릴 수 있어요. 아이들을 위해서는 단호함도 보여주셔야 해요."

선생님께서는 처음 교직을 시작하는 내가 병아리 같아 보이셨는지 처음이면 누구나 할 수 있는 실수를 읊어주시며 그에 대한 대비와 생각을 가르쳐주셨다.

"나이스에 들어가면 이렇게 해당 정보를 찾아볼 수 있어요."
"자주자주 이렇게 검색해서 보시면 업무에 도움이 될 거예요."
"모를 때는 혼자 걱정하지 말고 물어보는 게 좋아요. 그러라고 있는 사람이 저 같은 다른 선생님들이에요."

때로는 문제에 부딪혀 끙끙 앓고 있을 때도, 아무 정보도 찾아볼 줄 몰라 허둥댈 때도, 선생님께서는 마치 작년에 자신이 겪었던 일인 것처럼 내가 모르는 부분이 무엇이고, 어떤 부분이 막히는 것이며, 어떻게 문제를 해결해야 하는지에 대해 간결하고도 세심하게 가르쳐주셨다.

그러던 어느 날 선생님과 길게 대화를 나누게 되었는데, 이리저리 임팔라처럼 방방 뜰만큼 행복을 누리는 내가 신기해 보이신 것인지, 나에 대해 이것저것 물어보셨다.

원래부터 개방적이었던 나는 집의 분위기와 부모님의 양육 스타일, 그리고 오빠와의 이야기를 주절주절 읊었는데, 그 말을 듣고 계시던 선생님께서는 문득 즐겁게 말하는 나를 향해 말씀하셨다.

"아, 그래서 선생님이 그렇게 예쁘게 크셨구나."

순간 나는 말을 이을 수 없었다. 따뜻한 눈빛을 보내며 잔잔히 미소 지으시는 선생님의 진심에 나는 울컥 올라오는 감동을 느끼기 바빴으니까. 선생님은 말을 잇지 못하는 나를 보며 말을 덧붙이셨다.

"제 딸도 선생님 같이 크면 좋겠어요."

한 번도 들어보지 못했던, 영원히 잊힐 수 없을 한마디였다. 결코 쉽게 할 수 없는 생각이며, 그보다도 내뱉기 힘든 말이었으니까.

누군가의 눈에는 나도 참 구김 없이 맑아서 예쁘게 자란 사람이자, 딸의 미래를 그려볼 수 있는 존재구나. 그동안 길게 관찰하고, 관심을 기울여야지만 할 수 있는 그 아름다운 평가에, 나는 꾹 차오르는 눈물을 머금고 대답했다.

"분명히 따님은 저보다 더 예쁘게 클 거예요. 선생님 같이 좋은 분이 아빠시니까요."

학교라는 곳은 많은 인연이 생기고 또 사라지기 마련이다. 나 또한 이제 막 시작된 수많은 인연 중에 시간이 흐르면 잊히거나, 사라질 인연도 있을 것이다.

하지만 이 선생님과의 대화는 결코 잊히지 않을 것 같다. 나의 성장과 있는 그대로의 나를 바라봐주신 선생님이시니까.

그렇기에 확신할 수 있다. 언젠가 대화를 나누다가 걱정스레 흘리신 부모의 역할에 대해, 선생님만큼 잘 해내실 분도 없을 것이라는 사실을.

긴 시간이 흐르고 나서, 나보다 더 예쁘고 사랑스러울 선생님의 따님을 보게 된다면, 꼭 말해주고 싶다.

"와! 정말 예쁘게 잘 컸구나!"라고.

공부가주가 뭐예요?

부서에 자칭 학교아빠라 부르게 된 선생님이 계셨다. 사람과 대화, 그리고 술을 좋아하시는 유쾌하고 친절하신 분이었는데, 매일 아침 멀리서 출근하는 삐약이가 안쓰러우셨는지 첫날부터 망설임 없이 차를 태워주셨다.

부모님보다 살짝 어리신 연배시다 보니, 자연스럽게 나는 그 선생님을 따랐다. 선생님께서도 따님이 있으셔서인지 나를 학교딸이라며 살뜰히 챙겨주셨다.

그리고 어느 날 선생님께서 자리에서 벌떡 일어나 외치셨다.

"우리 한번 모여야죠? 다들 언제 시간 되시나?"

그게 무슨 의미인지 처음에는 갸우뚱했다. 모인다니? 회식인가? 부서별 회식한 지 얼마 안 된 것 같은데? 누구누구 가시는 거지? 간다고 해야 하나? 말아야 하나? 수많은 물음표가 지나가는 동안 다른 선생님들께서는 저마다의 답을 꺼내셨다.

일정이 있어서 못 가신다는 선생님부터, 선생님의 스케줄에 맞추겠다는 선생님까지. 저마다 다양하게 나오는 답에 나는 어쩌면 좋을까 고민했고, 마침내 나를 바라보시는 선생님의 눈동자에 나는 깨달았다.

내가 할 수 있는 선택지는 하나겠구나. 하고.

물론 당연히 강제성은 하나도 없었다. 그저 선생님을 좋아해서 따르는 내게 있어 이 자리는 굳이 빠질 필요가 없는 자리이자, 기대감에 부푼 선생님의 눈동자에 대한 배려가 담긴 선택이었을 뿐이니까.

날짜가 정해진 뒤 아쉽게도 아이돌이신 부장님께서는 합석이 어렵다는 이야기가 나왔다. 그렇게 시간이 다가오는 동안 부장님과 대화를 나누면서 처음 듣는 낯선 단어가 나왔다.

"어디로 가기로 했어요?"
"양꼬치 집이래요. 선생님 댁에서 가까운 데에 있다고 하시던데요?"
"아, 거기 가시려는 거구나. 그럼 공부가주도 마시겠네요."
"공부가주요? 그게 뭐예요?"

공부? 공부가주? 그게 뭘까? 마신다는 거 보면 술인가? 처음 듣는 단어에 갸우뚱하자 부장님께서는 씩 웃으시면서 대답하셨다.

"가서 마셔보면 알 거예요."라고.

그렇게 가게 된 음식점에서 내 눈앞에 놓인 수많은 양꼬치와 음식

들, 그리고 상큼한 향이 나는 작은 술. 그것이 바로 공부가주였다,

"억지로 마실 필요는 없어요. 그냥 혀만 살짝 대봐요."

학교아빠 선생님께서는 신기하게 술을 바라보는 내게 말씀하셨다. 그러고는 각종 음식들을 내 앞에 놓아주시면서 분위기를 띄워주셨다.

음식이 비워지고, 술이 줄어들고, 쉬지 않고 대화가 이어졌다. 선생님들께서는 내 상태를 살펴주시면서 계속 음식을 먹이셨고, 덕분에 나는 배가 통통해진 채로 K.O 되었다.

"왜 이렇게 조금 먹어요?"
"아니.. 저 헥헥.. 엄청 먹었어요.. 헥헥.."

쉬지 않고 먹으면서 선생님들의 이야기를 들었다. 주로 학교와 관련한 이야기였지만 중간마다 막냉이 걱정도 함께였다.

항상 무엇을 해도 걱정에 걱정이셨던 학교아빠 선생님. 그저 내가 잘 되기를, 내가 행복하기를 바라시며 맛난 음식을 계속 갖다 주시던 선생님의 모습에서 나는 정말 쉽게 느낄 수 없는 관계라는 생각이 들었다.

동료로서의 상호작용은 얼마든지 있을 수 있지만 마치 부모와 자식 같은 내리사랑이 섞인 상호작용은 막냉이이자 삐약이인 지금의

나만이 겪을 수 있는 시기라는, 그래서 더 소중하다는 생각.

그래서 더 맛있게 먹었다. 더 많이 먹고 또 웃었다. 학교아빠 선생님의 근심을 덜어드리기 위해. 지금의 나의 행복을 표현하기 위해.

시간이 지나 내가 새로운 막냉이 선생님을 만나게 된다면 그때의 나는 얼마나 베풀 수 있을까. 확실한 건 내가 받았으니까, 받은 만큼의 마음의 크기는 되돌려줄 수 있을 거라고, 그렇게 생각한다.

그 마음을 잊지 않아야겠다. 부지런히 시간이 흘러 늦은 글을 쓰는 지금까지도.

부장님의 커피는 첫 커피

"저기, 파란 옷 입은 사람 보이지? 저 사람이 여기 실세야. 혹시라도 저 사람이 괴롭히면 말해요. 내가 혼내줄게요."
"아, 안녕하세요!"
"안녕하세요. 잘 부탁해요."

정신없이 쌓여있는 짐들 사이로 걸어 나오신 파란 옷의 선생님. 편안한 웃음으로 인사를 건네시던 분을 보며 내가 처음 따르게 될 부장 선생님이 바로 저분이시구나. 라고 생각했다.

생안부의 부장님이시라면 굉장히 딱딱하고 무섭지 않을까? 라는 물음표를 박살 낸 사람은 웃기게도 나였다. 그 과정도 엄청나게 단순했는데, 하나하나 친절하게 인수인계해 주시던 부장님의 목소리에 뿅 반해버린 탓이었다.

세상에 어쩜 이런 목소리가 다 있을까? 미쳤다, 미쳤어. 웃으실 때도, 전화를 받으실 때도, 대화하실 때도 미쳐버린 목소리구나. 진짜.

'세상에 목소리 좋은 사람 중에 나쁜 사람은 없다'와 '목소리 좋은 사람은 의무적으로 일정 기간은 선생님, 아나운서, 가수 중 하나를 반드시 해서 세상 사람들에게 목소리로 힐링을 주어야 한다'라는 신조를 가진 내게 부장님은 더 이상 무섭거나 어려운 분이 아니라 그저 '아이돌'이셨다.

"다녀오셨어요!"
"고생하셨습니다!"
"내일 뵈어요, 부장님!"

아이돌 부장님, 오늘도 번쩍번쩍 빛나신다! 너무 멋지세요! 세상에, 완벽하셔라. 대체 못 하시는 게 뭐세요? 아, 그만 멋지기를 못하시는구나!

중학생 시절에도 이렇게 아이돌을 응원해 보지 않았는데. 있는 없는 주접멘트를 날리며 방방 뛰던 자칭 부장님 팬이라는 삐약이 선생님을 보고, 학기 초 부장님은 부끄러움에 비명을 지르시며 교무실에 들어오시지도 못하셨다.

사실 주접을 모두 빼고, 팬심을 싹싹 다 지우고 보아도 부장님은 멋진 분이셨다. 1을 드리면 100으로 받아주시는 분. 한결같이 고마움을 표현해 주시는 분. 항상 든든하게 응원해 주시는 분. 정말이지 인간적으로도, 인성적으로도 빠짐없이 멋지신 분이었다. 그래서 많이 배우고 싶었다.

팬심을 한껏 드러내며 쫄래쫄래 응원을 드리던 어느 날, 내게 팬심을 증명할 순간이 다가왔다.

"오우, 이게 뭐예요?"
"커피예요. 한번 마셔볼래요?"
"으음.."

원래 커피를 마시지 않는 나에게 있어서는 고민할 거리도 되지 않을 질문이었다. 하지만 그 커피를 권하는 사람이 아이돌이라면, 이야기는 달라지지 않을까?

"원래는 안 마시지만 아이돌 부장님께서 타 주시는 거니까 마셔볼래요."
"으악!"
"원래 팬은 아이돌의 역조공을 거절하지 않습니다. 후후."

그렇게 받아 든 메이드 인 아이돌 부장님 커피는 커피 초보의 손에서 야금야금 사라졌고, 바닥이 보일 때쯤 나는 깨달았다.

커피를 안 마시던 사람이 커피를 마시면 배가 아프다는 사실을.

"오.. 부장님? 제가 놀라운 걸 알게 되었어요."
"뭔데요?"
"커피를 마시니까.. 배가 아파요."
"아니.. 그걸 다 마셨어요? 아니.. 그걸 왜 다 마셔요.. 적당히 마셨어야..(말잇못)"
"아이돌께서 주신걸 어떻게 남겨요! 당연히 다 마셔야죠!"
"(이마짚)어서 보건실 가서 속 쓰림 방지제라도 받아먹어요."

결국, 아이돌을 너무 응원한 팬은 보건실에서 속 쓰림 방지제를 타다 먹어야 했고, 아이돌 부장님께서는 대책 없이 따르는 팬을 보며 고개를 저으셨다.

그 이후로도 팬의 덕질은 계속되었고, 부장님은 나날이 팬의 응원을 받고 더 멋져지셨다.

참 다행이었다. 팬심을 그대로 예쁘게 바라봐 주시는 좋은 분이라서. 인간적으로 멋진 분을 맘껏 응원할 기회를 주셔서.

늘 내게 고맙다고 말씀해 주시는 부장님이었지만, 나는 반대로 늘 부장님께 감사했다. 처음의 시작에서 부서 부장님과의 관계 또한, 앞으로의 교직 생활에 큰 지침이 될 것이니까. 그것을 올바르고 아름답게 설정해 주신 분이시니까.

언젠가 나도 부장이라는 위치에 오르게 된다면, 부장님같이 따뜻하고 멋진 사람이 되고 싶다. 그래서 아무것도 모르는 초보 교사가 와서 응원해 드린다고 조잘거리고 따라도 그냥 있는 그대로의 마음으로 봐주며 적응할 수 있도록 도와주고 싶다.

부장님께서 내게 그러셨듯이.

무안할 때는 어떻게 해요?

'Question Maketh Bodyguard.'

어라? 어디선가 들어본 것 같은데? 라는 느낌이 드신다면 맞다. 이 제목의 글이 있었으니까.

그렇다면 그 글의 주인공이었던 남학생을 기억하실 것이다. 그리고 이번 글의 주인공 또한 같은 남학생으로서 A라고 미리 말하는 바다.

첫 질문을 건넨 이후 그 A는 친구들과 함께 늘 항상 수업이 끝나면 교무실까지 따라왔다. 이따금 늦을 때면 복도를 우다다 뛰어오고는 했는데 위험하니 다친다고 소리를 질러도 혈기 왕성한 고등학교 A의 에너지는 쉽게 사그라들지 않았다.

그러던 어느 날 친구들과 먼저 자리를 나선 나를 따라오려 A가 목표지점으로 생활안전부를 설정한 채 우다다 뛰어오기 시작했다.

"멈춰!! 다친다!!"
"너! 그래, 너. 이리 와라!"

내 외침과 동시에 뒤에서 부장님의 목소리가 울려 퍼졌다. 세상에

나. 하필이면 생활안전부 앞에서, 위험하게 뛰다가, 생활안전부 부장님께 딱 걸린 것이었다. 그렇게 A는 그대로 부장님께 붙잡혀 생활안전부로 끌려 들어갔고, 당황을 금치 못한 나는 나머지 아이들을 진정시키고는 조심스럽게 부장님을 향해 다가갔다.

"자, 이제 가봐."
"부장님, 죄송해요.."

미처 아이들을 통제하지 못한 상황에 죄송함을 내비치자, 부장님은 별거 아니라는 듯 웃어 보이셨다. 워낙 나를 따르는 아이들을 좋게 봐주신 덕분이었다. 반면, 꾸중을 들은 A는 기분이 상했는지 고개도 숙인 채 빠른 발걸음으로 교무실을 나섰다.

A의 마음을 충분히 이해했지만, 그럼에도 부장님과 A 사이에 껴서 어떻게 해야 할지 몰라 A를 부르며 동동거리자, A는 문득 옮기던 걸음을 멈춰 뒤를 돌았다.

"선생님, 저 괜찮아요."

뒤에 이어지지 못하고 생략된 '따라오지 않아도 된다'는 말에 나는 다른 친구들에게 A를 부탁했고, 그렇게 복도에서의 일이 일단락되었다.

그날 이후 수업에 들어가게 되었을 때, A는 내게 말을 걸지만 않을 뿐, 평소와 다름이 없는 상태였다. 그래도 그날 일은 심플하게 그냥 넘겼나 보네. 나는 그런 생각으로 안심하며 수업을 나갔고, 수업이 끝난 뒤 아이들과 대화를 나누었다. 그리고 그때 A가 조심히 다가와 물었다.

"선생님, 질문이 있는데요."
"응, 뭔데?"
"음.. 사람이 무안할 때는 어떻게 해요?"
"무안할 때?"
"그러니까.. 뭔가 상대방과 조금.. 불편할 때? 그럴 때요."

나는 A의 질문을 순간 이해하지 못했다. 불편할 때? 나는 고개를 갸웃하다가 대답했다.

"음.. 상대방과 뭔가 문제가 있다면, 그게 잘못에서 기인된 거라면, 사과를 하겠지?"

내 대답에 A는 만족스럽지 않았는지 고개를 가로저었다.

"아뇨. 잘못한 건 아니에요. 그냥, 조금 민망하고 무안할 때요."

그제야 나는 A의 의도를 파악할 수 있었다. 아, 지금 이 A는 며칠 전 그 일을 말하는 거였구나, 하고. 말뜻을 알아들은 나는 웃으며 대답했다.

"잘못한 게 아니고 그냥 무안하고 민망한 거면, 선생님 같은 경우에는 그냥 앵겨붙어버려. 그런 기분도 들지 않게, 그냥 확! 애교도 부리고 앵겨버리거든."
"아.. 음, 그렇군요. 감사합니다, 선생님."

내 말의 의도 또한 눈치 빠르고 센스 있는 A는 곧바로 알아들었다. 그러고는 고개를 끄덕이면서 나를 바라보고 씩 미소를 지었다.

"선생님! 저희가 모셔다 드릴게요!"

수업 종이 치고 자리를 뜨려던 나를 향해 A는 평소처럼 내게 다가왔다. 그날 이후 어색함을 고민하다가 그냥 아예 문제를 당당히 마주 보고 솔직하게 물어보는 A가, 어떻게 사랑스럽지 않을 수 있을까?

아이들의 마음을 이해한다. 행동과 분리하여 그 마음의 본질을 바라보고자 노력한다. 특히, 행동이 커서 오해를 쉽게 받는 남학생들에게 더욱, 그 눈길을 쏟는다. 그것이 아이들에게 닿아 어색함을 풀고, 보다 솔직하게 자신의 마음을 풀어 보여줄 수 있도록. 그렇게 서로 한 겹을 벗어내며 조금 더 진실하게 소통할 수 있도록.

A는 앞으로도 그런 소통 방식을 쓰며 성장할 것이다. 그 성장 속에 나와의 대화가 '좋게 받아들여진 기억'으로 남기를 바란다.

그래야 언젠가 소중한 누군가를 위한 더 멋진 보디가드가 될 테니까.

부서 선생님들과 피크닉을!

"선생님은 뭘 가져올 거야?"
"느에?"

무슨 말씀인지 미처 알아듣지 못한 내가 고개를 갸웃거리자 우리 부서 어른 선생님께서 탁자에 놓인 종이를 가리키셨다. 종이를 읽어보니 뭔가 재미있는 걸 하시려는 듯 보였다.

생활안전부 피크닉이라니! 새삼 오랜만에 들어본 피크닉이라는 단어에 기분이 붕붕 떠올랐다. 선생님들은 저마다의 이름 옆에 가지고 오실 수 있는 목록들을 적으셨고, 자연스레 가장 집이 먼 막냉이는 가장 쉬운 쌈채소를 가지고 오게 되었다.

시험이 일찍 끝나고, 해가 쨍하게 비추던 날. 부서 선생님들은 각자 들고 오신 물품들을 꺼내어 학교 운동장 옆 벤치로 향하셨다. 룰루랄라 가벼운 걸음만큼이나 신이 났는데, 그 이유는 바로 내가 가장 좋아하는 고기를 먹을 수 있기 때문이었다.

타닥타닥! 숯에 불이 붙고, 그릴 위로 먹음직스러운 고기가 켜켜이 올라갔다. 자리 세팅을 마친 내가 도울 일이 없을까 기웃거리자, 부장님께서는 가까이 있으면 다칠 수도 있다며 손짓을 해 보이셨다.

"이리 와요. 와서 고기 먹어요."
"거기 서 있지 말고 이리 와서 얼른 앉아요."

선생님들은 내게 와서 어서 앉으라 하셨다. 엉거주춤 앉은 내가 자꾸 머뭇거리니 먹는 게 도와주는 거라며 맛있게 먹을 것을 권유하셨고, 어른 선생님들께서 숟가락을 드신 후에야 나도 고기를 입에 넣을 수 있었다.

"어때요?"

불 앞에서 고기를 구우시던 부장님의 물음에 나는 신이 나서 소리를 질렀다.

"으악!! 진짜 맛있어용!!!"

숯불에 구운 고기는 원래도 맛있는데, 좋은 선생님들과 함께 먹는 고기인데 어떻게 맛없을 수가 있을까! 내가 방방 뛰며 고기를 쉼없이 먹어대자 선생님들도 즐거운 표정으로 각자의 속도대로 드셨다.

땀이 뻘뻘 나는 더위 속에서도 지침 없이 고기를 흡입하던 내가 정신을 차린 후에는 가지고 온 고기를 거의 다 구운 후였다. 남은 고기까지 모두 구워진 뒤 부장님은 그제야 집게를 놓으셨고, 나는 서둘러 일어나 부장님께서 드실 수 있게 자리를 마련했다.

"부장님 괜찮으세요..?"

조심히 앉아서 부장님을 보고 있자니 온몸이 땀에 절어진 모습에 죄송함이 올라왔다. 시무룩해진 막냉이를 보신 마음 착한 부장님은 괜찮다며 웃으셨지만, 더위 먹으신 듯 얼마 드시지 못하셨다.

마음에 걸렸던 나는 집에 가는 길에 부장님께 감사함을 담은 인사를 전했다. 그러자 부장님께서는 고기를 흡입하는 모습에 뿌듯함을 느끼셨다며 잘 먹고 즐겨준 막냉이에 대한 감사를 표해주셨다.

시간이 흐르고 생각해 보니 그날의 피크닉은 사실상 막냉이인 나 때문이었다. 그곳에 참석하신 선생님들은 각자 엄청난 양의 짐을 다 들고 오시거나, 큰 비용의 고기를 가져오셨고, 땀을 흘리며 고기를 구워주셨다. 심지어 평소 별로 고기를 드시지 않는 선생님들까지도.

고기라는 단어만 들어도 신나서 춤을 추는 막냉이에게, 좋은 기억을 남겨주고 싶으셨던 것이었다. 양껏, 한껏 고기를 먹이고 싶으셨던 6명의 어미새 선생님의 대작전이었다.

그날 배가 통통해진 채 집에 싱글벙글 가는 막냉이를 보시고 선생님들께서는 무슨 생각을 하셨을까? 다만 시간이 조금 흐른 지금 생각해 보았을 때 확실하게 알 수 있는 건, 그곳의 모든 선생님이 첫해의 행복을 가지고 있던 막냉이를 최대한 지켜주려 하셨다는 것이다.

글을 정리하며 또 다른 새 학기를 앞둔 지금, 수많은 생각이 스친다. 선생님들께서 왜 그토록 나의 동심을 지켜주고 싶어 하셨는지. 왜 학교가 좋다며 웃고 뛰어대는 나를 보며 말없이 미소를 지어 보이셨는지.

새로운 학기인 만큼 마음가짐 또한 달라졌다. 그것이 느껴진다. 마냥 꽃밭만이 아닌, 또 다른 각오가 생기고 한쪽 구석에는 없었던 걱정도 생긴다. 그래서 더 감사하다. 온전히 한 해, 행복만을 가질 수 있게 도와주신 부서 선생님들께.

아직 첫해의 이야기는 조금 더 남았기에, 이후에 쌓이게 될 새로운 이야기와 함께 가져와 기록에 남기려 한다. 이 모든 행복을 하나하나 담아서, 또 새로운 마음가짐을 갖게 된 내게 보여주기 위해서.

방학 잘 보내세요

"방학이라니 정말 말도 안 돼요! 싫어!"
"아니, 선생님. 방학인데 표정이 그게 뭐예요! 좋아하셔야지!"

방학. 듣기만 해도 설레고 입이 씰룩여지는 즐거운 날. 그런 날 유독 입술이 쭉 튀어나온 선생님이 있다면 믿겠는가?

방학 날에 안 좋은 일을 겪은 것도 아니고, 학기 마무리가 잘 되지 않은 것도 아닌데 입이 오리주둥이처럼 비쭉 튀어나온 채 투덜거리는 선생님이 있다면 그것은 분명,

첫 방학을 맞이하여 학생들을 보지 못해 불만인 초보 교사가 되시겠다.

방학. 학기 중간마다 맞이하는 방학은 학생과 교사들에게 큰 위안을 주는 시간이다. 학생들은 그동안 억눌렸던 자유를 누리고, 시험에 대한 스트레스를 풀거나, 다음 학기의 공부를 준비하는 등 정말 다양한 방법으로 방학을 만끽한다. 선생님들도 그동안 하지 못했던 다양한 일들을 처리하고, 생기부를 정리하고, 잠시 휴식을 갖거나, 연수를 들으며 다음 학기 수업을 준비한다. 그렇게 방학은 단순히 놀고 쉬는 시간이 아닌 다음 학기를 이어 나가기 위한 준비 기간이자 빡빡한 학기의 숨을 틔워주는 시간이다.

학생 시절 나도 방학은 항상 좋아했다. 물론 학교 친구들을 자주 보지 못하는 것은 아쉬웠지만 그렇다 해서 방학이 싫었던 적은 없었다. 방학하면 늦잠도 자고, 맛있는 것도 많이 먹고, 늘어져도 아무도 뭐라 하지 않았으니까. 그렇게 방학을 즐기곤 했다.

하지만 이랬던 내가 방학이 오는 것을 싫어하게 될 줄은 몰랐다. 방학이라니. 그러면 개학할 때까지 교무실의 선생님들도 못 뵈고, 학생들도 보지 못한다는 것이 아닌가. 그것은 학교를 너무 좋아하는 초보 교사에게는 사형선고나 마찬가지였다.

"방학 싫어요."

교무실의 선생님들은 어이가 없으신지 입이 댓 발 나와서 의자에 널려있는 나를 보며 웃음을 터트리셨다. 삐죽 나온 입에는 잔뜩 불만이 담겨서 방학이 싫은 이유를 줄줄 읊어댔다.

"방학하면 선생님들도 못 뵈고, 애들도 못 보고.. 진짜 심심해서 어떻게 해요."
"저걸 뭐라고 해주면 좋을까요. 대체."
"그냥 내버려 두어요. 어차피 올해밖에 못 즐길 거예요."
"그래, 우리가 저 동심을 지켜주자고요."
"저 빼고 무슨 얘기를 나누시는 거예요!"

교무실의 선생님들께서는 다들 저마다의 표정으로 나를 바라보셨다. 그중에서도 유독 눈에 띈 표정은 FM 선생님의 표정이었는데,

FM 선생님께서는 충분히 그럴 수 있다며, 저 때도 길지 않을 테니 동심을 지켜줘야 한다고 고개를 끄덕이셨다.

선생님께서 말씀하시는 동심이 무엇인지 굳이 여쭤보지는 않았지만, 어렴풋이 알 수는 있었다. 이 시간도 지나가 반복이 되고 나면, 더 많은 업무와 치이는 삶 속에서 분명 단비 같은 시간으로 반기는 교사가 될 것이 분명했으니까. 조금만 더 지나 보면 방학이 꼭 필요한 시간이 될 거라는 말씀에도 충분히 이해는 갔지만, 그래도 당장의 나는 아이들을 보지 못한다는 게 너무 우울해서 시무룩하게 늘어져만 갔다.

"이게 무슨 소리예요? 다 끝났나 봐요."

문득 바깥이 소란스러워진 것을 보니 방학식이 끝나고 아이들이 하교하는 듯 보였다. 그리고 그와 동시에 생안부 앞이 선생님을 찾는 소리로 소란스러워졌는데 그 이유를 알지 못하던 나는 고개를 갸우뚱거리며 밖으로 나갔다.

"선생님!!"
"거봐, 선생님 아직 계신다고 했잖아!"
"다행이에요. 선생님 아직 안 가셔서요!"

방학식 날 가장 빨리 귀가를 해도 시원치 않은 시간에, 하교를 미루고 환한 얼굴을 한 10명의 학생이 모여 조잘조잘 떠드는 광경. 이건 또 무슨 광경인지 이해를 하지 못하는 사이 아이들은 복도가 떠나가라 외쳤다.

"선생님! 방학 잘 보내세요!!"
"인사드리러 왔어요!"
"방학 잘 보내시고 개학하고 뵈어요!"
"개학날도 찾아뵈러 올게요!"
"안녕히 계세요!"
"얘들아 쉬잇!!!"

갑작스러운 인사들이 쏟아지자마자 나는 다급하게 아이들을 향해 외쳤다. 어찌 되었든 여기는 생안부 교무실 앞이고, 큰 교무실과 바로 옆이라 소리가 크게 나면 선생님들께 방해가 될 것이 뻔했으니까. 하지만 아이들은 그런 나의 다급함에도 아랑곳하지 않고 방학 동안 아프시면 안 된다며, 보고 싶을 거라며 조잘조잘 인사를 전했다.

"우리, 선생님께 인사드리자!!"
"으악! 엎드리지 마, 얘들악!!"

담임도 아니고 일개 교과 선생님에게 10여 명의 학생이 일제히 절을 하겠다고 자리에 앉는 순간, 지나가시던 모든 선생님께서는 웃으며 가셨고, 얼굴이 빨개진 나는 아이들을 서둘러 일으켜 세웠다. 방학식에는 얼른 집에 가는 거라고, 이렇게 선생님 보겠다고 시간 들이지 않아도 된다고, 그리고 개학하면 또 보지 않느냐고, 나는 그런 말들과 함께 아이들을 서둘러 밀어냈다.

"아프지 말고 재미있는 방학 보내고 개학 날 보자!!"
"네!"
"후.. 이제 들어가 볼.."
"선생님!!"
"으악!"

그 아이들이 가고 나서도 또 다른 학생들이 내게 찾아왔고, 나는 한참을 교무실에 들어가지 못하고 아이들의 인사를 받아주어야 했다.

방학. 고작 학기의 중간에 있는 데다가 여름 방학은 심지어 한 달도 되지 않는 짧은 시간이다. 요즘은 겨울방학도 길어봤자 두 달이 채 되지 않는다. 하지만 그런 시간을 떨어져 있는 것이 아쉬웠던 건 초보 교사인 나만이 아니었던 것이었다. 아이들도 나와 똑같은 마음으로 나를 아쉬워하고, 그리워하며 그렇게 자신이 얘기한 다양한 계획을 따르러, 그렇게 방학을 즐기러 발걸음을 옮겼다.

그런 아이들을 보고 있자니 나만 그렇게 애틋한 마음을 가지고 있었던 것은 아니었구나 하는 안도감과, 그 바쁜 와중에도 와서 인사를 해주고 간 고마움이 함께 밀려왔다. 내게 밀려나면서도 끝까지 나의 건강과 안부를 걱정하던 학생들을 보고 있자니 어떻게 이렇게 훌쩍 컸나 하는 기특함도 몰려왔다.

시간이 흘러 새해가 되고 담임을 맡게 된다면 또 다른 학생들의 모습을 보게 되겠지. 그리고 분명 그 속에서 실망을 하고, 충격을 받고, 답답함을 느낄지도 모르겠다. 그리고 그런 감정들에 점철되어 버릴 내게 그때의 방학은 분명, 단비와도 같이 느껴질지도 모른다.

그래서 즐기기로 했다. 이 감정도 분명 한순간에 흘러갈 것이고, 언젠가는 그 감정을 그리워하다가 빛이 바래 기억나지 않을지도 모르니까. 누구보다도 더 애틋하게, 아이들을 그리워하는 아쉬운 방학을 즐겨야겠다. 그것이 초보 교사만이 누릴 수 있는 혜택일 테니까.

2부

2학기

선생님은 어느 과목 선생님이세요?

"선생님은 어느 과목 선생님이세요?"
"다음에는 저도 선생님 수업을 들어보고 싶어요."
"친구한테 이야기 많이 들었어요. 저도 그 과목을 신청할 걸 그랬나 봐요."

학생들을 처음 만나고 나서 어느 정도 익숙해졌을 즈음, 슬슬 구별이 되기 시작했다. 누가 내게 배우는 학생이고, 누가 내게 배우지 않는 학생인지.

비록 마스크로 인해 늦게 외우다 보니 반도, 이름도 전부 외울 수는 없었다. 그래도 더듬더듬 학년을 구분하고, 어버버 하며 이름을 부르면서 애쓰던 와중 이제 새로운 얼굴들이 등장했다.

"저는 얘 친구예요! 선생님 이야기 많이 들었어요."

바로 내게 배우는 학생들의 친구들이었다. 아이들은 내가 없는 자리에서 무슨 이야기를 나눈 것인지 내적 친밀감을 한껏 뽐내며 다가왔다. 물론 나 또한 오다가다 스치듯 보았던 얼굴들이 있었고, 그렇지 않더라도 반갑게 인사를 건넸다.

"안녕. 반가워!"

복도를 지날 때에도, 급식지도를 할 때에도, 심지어 수업 시간에 했던 활동을 게시하려 복도에 머무를 때에도 아이들의 인사는 계속되었다.

수업 내용을 발표하고 그 발표 자료를 모아 아무도 없던 복도에서 혼자 낑낑대며 게시하던 어느 날, 문득 처음 보는 학생이 물을 마시러 나왔다가 내게 다가왔다.

"이건 뭐예요?"

호기심 가득한 표정으로 내용을 읽던 학생은 고개를 갸우뚱하며 물었다. 과학과는 전혀 어울리지 않는 그런 내용들이었으니, 충분히 그럴만했다.

"응, 이건 친구들이 선생님 수업 때 한 내용을 발표한 거예요. 재미있어 보이죠?"
"네. 진짜 신기하네요."
"선생님은 이런 수업들을 하거든."

즐겁게 대화를 나누며 벽에 자료를 붙이고 있자, 학생은 더욱 가까이 다가와 내용을 꼼꼼히 읽었다. 그러고는 이제는 익숙한 질문을 던졌다.

"선생님은 어느 과목 선생님이세요?"

역시나. 한 치의 오차도 없는 질문이자, 뿌듯한 질문. 그 질문에 대해 나는 내 수업을 소개했고, 학생은 그제야 고개를 끄덕이며 말했다.

"아, 선생님이 그 선생님이셨군요. 친구들이 얘기해 줘서 알고 있었어요. 저도 선생님 수업을 신청할 걸 그랬나 봐요."

지금의 수업이 재미없다며 아쉬워하던 학생은 이내 고개를 꾸벅하며 인사를 하고 들어갔다. 그렇게 멀어지는 학생의 뒷모습을 보며 나는 다양한 생각에 잠겼다.

지금의 학교는 예전과 다르게 수많은 선택이 생겼다. 학생들의 선택지가 늘어난 만큼, 재밌는 수업이 필요해졌다.

하지만 그것만으로는 충분하지 않다. 입시를 결코 무시할 수 없으니까. 입시와 관련한 과목을 우선적으로 선택하고 나면, 남은 몇 개 안 되는 과목 중에서 흥미와는 상관 없이 울며 겨자 먹기로 선택하는 수밖에 없다. 그렇게 학생들은 자신의 의지와는 상관없이 재미있는 수업조차 온전히 즐길 수 없게 된다.

그런 슬픈 아이러니 속에서 내 수업이, 적어도 이 한 해만큼은 학생들에게 숨을 쉬게 해주는 수업이기를 바란다. 그런 마음 하나로 새로운 수업을 창안하고 또다시 도전한다.

언젠가 학생들이 뒤를 돌아 학창 시절을 떠올렸을 때, 미친 듯이 죄이던 고등학생 시절에 조금이라도 웃음 지을 수 있었던, 모든 친구가 부러워하던, 그런 수업이 있었다는 사실을 기억해 주었으면 한다.

그 기억은 분명, 학생이 살아가는 데에 큰 힘이 될 테니까.

저렇게 해야 공부를 잘하는구나

"저렇게 좋을까..?"
"재미있어요?"

이어폰을 뺄 때마다 이어지는 질문이 신기함을 가득 담았다. 그것도 그럴 것이 이어폰을 꽂은 동안 들은 것이 바로 '수업'이었기 때문이었다.

"네! 정말 재미있어요!"

25여 년 전, 엄마를 통해 처음 접하게 된 신비한 개념이 있었다. 바로 MBTI. 그것이 이렇게 20여 년이 지난 후 유행하게 되리라고는 생각하지 못하고 그저 단순히 사람의 유형을 나누는 것이 좋아서 엄마에게 묻고 또 물으며 입으로, 눈으로, 귀로 외웠던 개념들이었다.

그리고 학생이 아닌 선생님이 된 후, 내가 가장 먼저 하고 싶었던 공부는 바로 MBTI 전문 강사 자격증을 따는 것이었다. 더 이상 단순히 엄마의 지식이 아닌 나의 지식으로써 학생들에게 전달해 주고 싶었던 마음이었다.

찾아보니 원래는 오프라인으로 실시되던 수업이 안타깝게도 코로나로 인해 온라인 수업이 되어버렸기에, 나는 몇 년을 더 기다려야 했다. 그러다가 시간만 흐르고, 코로나의 종식이 끝을 보이지 않아 결국 올해 온라인 수업을 듣게 되었다.

"지금 뭐 하시는 거예요?"

이어폰으로 막힌 귀 대신 뻐끔거리는 선생님들의 입술 모양이 나의 공부에 대한 궁금증을 담았다. 실실 웃으며 가끔 작게 박수 치는 내가 신기하신 모양이었다.

"수업 듣고 있어요! 오늘 하루 종일 들어야 하거든요."

그토록 오랜 시간 기다렸던 수업이어서였을까? 전공이 아닌 사람의 심리 공부는 내게 숨을 틔워주었다. 내가 살아있음을 느끼게 해주는 충만한 행복. 그것은 아이들을 만나는 행복과는 또 다른, 정말 맛있는 음식을 배부르게 먹는듯한 행복이었다.

"뭐 봐요? 어머나! 수업 중이시네! 아이고, 미안해요!"
"으악, 괜찮아요! 그냥 편히 다니세요! 소리 꺼놨고, 제 뒤쪽은 그림으로 가려놔서 편히 다니셔도 안 보여요. 걱정마세요!"

소리가 나도 괜찮다고, 오히려 제가 말을 할 때가 있어서 시끄러우실까 죄송하다고 하는 삐약이의 말에도 교무실 선생님들께서는 발소리를 죽이셨다. 감사한 배려 속에서 수업을 모두 바꾸고 자리에 앉아 하루 종일 수업을 들으면서 자발적으로 발표를 하고, 역할극을 진행했다. 학교의 모든 수업이 끝나는 4시가 되어서도 내 수업은 멈추지 않았다.

"안 힘들어요?"

하루 종일 이어지는 수업의 스케일에 교무실의 선생님들께서 걱정이 담긴 질문을 하셨다. 점심시간도 제대로 맞지 않아 허겁지겁 먹고 와서 계속 4시가 넘어갈 때까지 수업을 듣는 삐약이가 안쓰러우신 모양이었다.

"괜찮아요! 예전부터 진짜 하고 싶었던 공부였거든요. 수업을 들으니 살 것 같네요, 정말로요."
"어떻게 그렇게 즐거워하면서 들으시지?"
"그러니까요, 정말 행복해 보였어요."
"엇! 행복하죠! 진짜 재미있거든요!"

어떤 내용인지 조잘조잘 떠들며 다음 수업을 준비하자 선생님들께서는 빤히 나를 보시더니 한마디를 건네셨다.

"정말 저렇게 해야 공부를 잘하는구나."

그 말씀의 의미에는 대학 성적에 대한 부분이 담겨있었다. 내가 앉은자리의 양쪽 옆 선생님들과 함께 대학교 수석 졸업이라 편하게 '수석 라인'이라고 부르셨기 때문이었다. 수석 졸업은 내게 큰 자랑이었지만, 그렇다고 여기저기 떠들 만큼 대단한 것은 아니라고 생각했던 터라 나는 얼굴을 가리고 외쳤다.

"으아! 놀리지 마세요!"
"놀리는 거 아니에요. 진짜로 저렇게 공부를 좋아하면서 해야 수석하는 거구나 싶어요."
"으어어.. 부끄러워요오.."

눈을 데구루루 굴리며 말하자 선생님께서는 씩 웃으시며 말을 이으셨다.

"그러라고 하는 말이에요."

그 말씀을 끝으로 모든 선생님이 퇴근하셨고, 내 수업은 5시가 되어서야 끝이 났다. 마지막으로 교무실 문을 잠그고 나와 먼 길을 퇴근해야 했지만, 발걸음은 그 어느 때보다 가벼웠다.

최대한 선생님들을 불편하게 해드리지 않으려 실험실이나 도서관 자습실을 이용해 수업을 듣다가 막바지에 결국 자리에서 들을 수밖에 없었지만, 그 모든 공부의 과정을 살뜰히 살피고 이해하고 배려해 주신 교무실의 모든 선생님께 감사했다.

선생님들께서 주신 배려가 당연하지 않다는 것을 안다. 환경과 상황에 따라서 소용돌이치는 곳이 생활안전부니까. 그럼에도 내게 주신 배려들에 삐약이는 무사히 공부를 마칠 수 있었다.

그리고 나는 그 배려를 가슴 깊이 간직할 것이다.

언젠가 나처럼 공부를 바라는 후배 교사가 걱정을 담은 채 노트북을 켤 때, 그가 조금이라도 더 행복하게 지식을 품을 수 있도록 도와주기 위해서.

부서 워크숍, 홍일점, 막내, 성공적

"선생님 좀 어때요?"
"날씨가 너무 좋아요! 딱 걷기 좋네요!"
"선생님 지금은 좀 어때요?"
"너무너무 즐거워요! 최고예요!"

계속 들어오는 질문. 컨디션을 확인하는 눈빛. 그 모든 것들은 막냉이를 향해 있었다. 그리고 그 이유는 막냉이의 첫 워크숍이자 외박이 있는 날이었기 때문이었다.

모든 것이 처음이었던 첫해. 당연히 보통의 선생님들께서 쉽게 겪을 수 없는 부서별 1박 2일 워크숍도 또한 처음일 수밖에 없었다.

그리고 그 첫 워크숍의 유일한 홍일점이자 가장 아가인 나는 걱정이 가득한 선생님들과 함께 차에 올랐다.

"진짜 기대돼요, 선생님!"

꽤나 멀리 떨어진 곳까지 가느라 선생님들의 운전은 계속되었다. 그 후 도착한 곳은 세종대왕릉이었다. 날도 선선하고 하늘의 구름도 예뻐서, 걷기에 무척이나 좋았다.

하얀 구름과 파란 하늘이 보이는가? 너무도 선선하고 맑은 날이었다. 세종대왕릉을 걸으며 사진을 찍고 아직 미처 친하지 못했던 선생님들(생안부 선생님들과 친한 타 부서 선생님들께서도 함께하셨다.)과 더 대화를 나누었는데, 얼마나 즐거웠는지 시간 가는 줄 모르고 걸었다.

"선생님 괜찮아요?"

그 물음은 나를 너무 잘 아시는 부장님의 걱정이었다. 워낙 걷는 것을 싫어했기에 꽤 오래 걷는 내가 걱정되신 모양이었다.

"괜찮아요! 날이 좋아서 걷기 너무 좋네요!"

씩씩하게 답한 그 후에 우리는 근처 카페에 들어가 음료수를 한 잔씩 마셨고, 마침내 우리가 머물 펜션에 도착했다.

도착한 펜션은 넓고 깨끗했는데, 그곳의 2층을 온전히 내가 다 쓴다는 사실에 신나서 2층을 돌아다녔다.

저녁이 준비되기 전까지 우리는 간단한 과자와 막걸리를 마셨다. 학교아빠 선생님께서 막걸리는 특히 천천히 마시라며 당부 또 당부하셨다.

펜션 밖에 엄청난 고기와 음식들이 차려지고, 그 끝에 앉은 나는 쉬지 않고 고기를 먹기 시작했다. 막냉이의 고기 사랑을 익히 보셔서 알고 계셨던 생안부 선생님들께서는 누가 먼저랄 것도 없이 내 앞에 고기를 가져다주셨고, 고기를 구우시던 교감선생님까지도 내게 고기를 먹여주셨다.

즐겁게 먹고 마시고 즐기며 수다의 꽃을 피우다가 이내 펜션 안으로 들어와 맥주를 이어 마셨다. 나는 그쯤부터는 그냥 물을 마시며 같이 즐겼는데, 이어지는 노래방 타임에 미친 듯이 놀며 분위기에 더욱 취했다.

"으어.. 저 이제 들어갈게요오.."

새벽으로 향하는 시간대가 되고 나서야 비로소 나는 자리에서 일어나 방으로 들어갔고, 다른 선생님들께서도 저마다 자리를 잡고 누우셨다. 몇몇 분들은 아직 못다 한 이야기들을 쏟아내며 각자만의 시간을 마무리하셨다.

그리고 그날 새벽 내내 나는 잠을 이루지 못했는데, 그 이유는 옆집에서 키우는 닭의 울음소리 때문이었다. 퀭해진 얼굴로 짐을 챙겨 나와 차를 타고 출발할 때까지도, 쉬지 않고 울던 닭은 끝까지 우리를 마중했다.

비록 잠은 제대로 자지 못했지만, 처음으로 집 밖에서 자면서 선생님들의 새로운 모습을 보고, 색다르게 즐기며 가까워지는 시간을 가졌다. 첫 워크숍인 데다가 쉽게 겪을 수 없는 경험임을 알기에 누구보다 즐겁게 즐겼다. 홍일점이라 걱정이 되기도 했지만 그만큼 모든 선생님께서 잘 챙겨주시고 걱정해 주셔서 불편함 하나 없이 잘 즐기고 올 수 있었다.

고로, 워크숍의 평가를 내리자면...

첫 부서 워크숍. 홍일점. 막내. 성공적-! 이었다!

제가 임시 담임이라고요?

"선생님, 미안한데 7반 담임선생님께서 코로나 확진이 되셨대요. 선생님이 7반 부담임이시니까 일주일간 잘 부탁해요."
"네? 아, 네! 걱정 마세요!"

걱정 마시기는! 청천벽력 같은 소리였다! 1년의 중간을 넘어 거의 끝을 향해가고 있던 중에 듣게 된 소식이었다. 평소 굉장히 튼튼하시던 선생님께서 코로나 확진이라는 소식에 한번 놀라고, 갑작스러운 임시 담임이라는 직책에 어찌해야 할지 알 수가 없었다. 게다가 7반은 남자반이자, 가장 사랑스러운 꾸러기반이었기에, 앞이 더 캄캄했다.

"어.. 저 어쩌죠..?"

황당한 표정의 나를 보신 선생님들께서(FM 선생님과 '그래서 그렇게 예쁘게 크셨구나'의 주인공이신 감동 선생님이시다.) 익숙하신 듯 다가와 하나하나 알려주시기 시작하셨다.

"자, 선생님. 나와보세요."
"조종례 전에는 꼭 이렇게 교무실에 들러야 해요. 이렇게 매일 아침 학급함을 확인해 보고 다 들고 가면 됩니다."
"전달 사항을 외우기 힘들면 학교 원노트를 인쇄해서 형광펜을 칠해가면 좋아요."
"조종례는 절대 늦지 마세요. 8시 10분까지 안 온 아이들은 체크해서 담임 선생님께 전달하고요."
"자가 진단 어플 매일 하라고 안내하고, 아픈 아이는 없는지 확인하시고요."
"조퇴 원하는 애들은 그냥 시켜주면 안 돼요. 담임 선생님께 연락드려서 허락받게끔 안내하세요."
"조종례 들어가면 애들이 담임 선생님이 아니라고 흥분해 있을 텐데 아무 말 하지 말고 조용히 계세요. 자기들이 스스로 가라앉아서 집중할 때까지요."
"절대 절대 말하시면 안 돼요. 그냥 가만히 계세요."
"웃지 마시고. 애들 한 번에 딱 규칙 잡아놓아야 일주일이 편해요."

쉬지 않고 쏟아져 나오는 설명에 나는 차근차근 받아 적으며 곧장 당장 있을 종례를 준비했다. 곧이어 마지막 타종을 치기 10분 전부터 시계를 보자 다른 반 담임이셨던 감동 선생님께서 말씀하셨다.

"갈까요?"
"네!"

"선생님 아침 조회 안 가세요? 교무실도 들르실 거죠?"
"이제 가야죠. 왠지 제가 엄마 오리가 된 것 같네요."
"히히! 어서 같이 가요, 엄마 오리 선생님!"

종례도, 그다음 날 아침 조회도 처음으로 다 하고 교무실에 왔을 때, 교무실에 박수갈채가 쏟아졌다. 어리둥절한 내가 고개를 갸우뚱하자 FM 선생님이 뿌듯하신 표정으로 말씀하셨다.

"캬! 첫 조종례를 무사히 마치신 것에 축하드립니다!"
"으악!"
"요 앞에 화환이라도 걸어야 하는 거 아니야? 축 첫 조종례. 이렇게."
"아잇! 안 돼요!"

아기 오리 삐약이는 일주일 내내 엄마 오리 선생님을 따라다녔다. 같이 조종례를 하고, 나름대로의 방식으로 아이들을 관리했다. 담임 선생님이 안 계시면 뭐든 대충 하려는 아이들조차도 어린 여자 선생님이 뭐라도 하려고 애를 쓰니 많이 들어주고 맞춰주었다. 또, 적당한 타협으로 청소를 조절해 주고, 아이들과의 대화도 늘려갔다.

일주일이 되는 날, 아이들은 아쉬워하며 웃었고, 나는 고생했다며 고마움을 내비쳤다. 그렇게 나는 다시 평범한 교과 선생님으로 돌아가게 되었다.

많이 정신이 없고 힘들었다. 담임 선생님들은 정말 고되시겠구나, 하는 것을 많이 느꼈다. 사랑스러운 만큼 잔소리가 나가고, 또 다른 반보다 조금 더 잘했으면 하는 욕심도 생겼다. 그 고된 시간 동안 교무실의 선생님들께서는 한결같이 내가 놓치는 것이 있을까

늘 챙겨주셨고, 반의 회장 아이도 항상 내게 모든 것을 알려주었다. 특히 엄마 오리 선생님께서는 하루의 처음부터 끝까지 신경써주시며 도움이 될 이야기를 많이 들려주셨다.

그리고 그 일주일의 시간이 당장 다음 해부터 도움이 될 것이다. 그 해는 내가 바로 첫 담임을 맡게 될 해일 테니까.

선생님들께 배운 것들과, 아이들에게 받은 마음을 기억해야겠다. 누구보다 사랑스럽다는 첫해, 첫 담임 반 아이들을 최대한 내 방식대로 사랑해 주기 위해서.

이번에도 다 찼나요?

"선생니임.."
"어떡해.. 진짜.."
"이번에도.. 인가요..?"
"응.. 다음에 와줘.."

아련하기 짝이 없는 서로를 향한 눈빛. 그 두 사람 사이에는 대체 무슨 일이 있었을까.

학교 축제의 날이었다. 긴 시간 코로나로 인해 억눌려 있던 학생들의 활기가 최고조에 다다른 날. 그런 날 초보 교사인 나는 다른 의미로 매우 바빴는데, 그 이유는 바로 동아리 부스 때문이었다.

학생 때는 마냥 즐거웠던 동아리 부스 운영이 교사가 되고 보니 문제에 문제를 가득 담은 폭탄 같은 업무였다. 안 되는 것은 왜 이리 많고, 돈과 시간이 많이 드는 활동은 또 왜 저리 많고, 불을 쓰는 활동은 또 왜 이토록 많은지. 간신히 골라낸 활동은 고등학교 1학년 때 많이 해볼 법한 '비즈로 박테리오파지 만들기'였다.

아이들은 고사리 같은 손으로 만든 동아리 포스터를 여기저기 붙이고, 다른 과학 실험 동아리보다 더 나아야 한다며 열을 올렸다. 첫 동아리 운영에 파이팅을 외치며 시작했지만, 모두의 마음속에는 큰 걱정이 있었다.

바로 이 부스에 친구들이 올 것인가. 하는 걱정. 다들 맛있는 음식을 만드는 부스에는 가겠지만, 과학 동아리만 있는 부스 쪽에도 올까? 그런 걱정에 아이들은 부스 밖으로 나와 호객행위를 하기 시작했다.

그러자 어느 순간부터인가 학생들로 가득 차버리게 되어서 정신을 차릴 수가 없었다. 학생들은 의외로 박테리오파지 만들기를 즐거워했는데, 아무래도 자신이 만든 것을 들고 갈 수 있다는 사실 때문인 것 같았다.

"선생님!"
"선생님, 저희 왔어요!"

그리고 학생들로 미어터지던 그때, 항상 나를 보러 와주던 학생들이(앞선 글 중 보디가드 학생들이다.) 우르르 몰려서 왔다. 그리고 빠르게 살펴본 자리들은 애석하게도 가득 차, 학생들을 더 들여보낼 수가 없었다.

"이번 타임 인원이 다 찼어.. 다음번 타임 때 맞춰서 와줄래?"
"아.. 네! 그럴게요!"

아이들은 아쉬워했지만 이내 씩씩하게 대답하고 돌아갔다. 다음 타임 때 아이들 도와줘야지. 라고 생각하면서 나는 콧노래를 불렀다.

하지만 내가 간과한 것이 하나 있었다. 한 타임의 예정 시간은 30분이었지만 생각보다 이르게 끝났다는 점이었다. 동아리 학생들은 기다리다가 결국 조금 더 일찍 다음 타임을 열었고, 그 덕에 다시 보디가드 친구들이 왔을 땐, 또다시 인원이 가득 찬 다음이었다.

"아악.."
"미안해.. 애들이 줄을 서 있어서.. 너희 자리를 빼줄 수가 없었어.."
"그럼 아예 여기서 기다릴게요! 선생님은 들어가 계세요. 복도는 추워요."

보디가드 아이들은 아쉬움을 내비치지도 않고 씩씩하게 문 앞에 서서 다음 타임을 기다렸다. 그렇게 기다리고 기다리던 세 번째 타임이 되어서야 간신히 모두 입장할 수 있었고, 나의 설명과 함께 차근차근 박테리오파지를 완성해 갔다. 커다란 손으로 작은 파지를 만들면서도 불평 없이, 열심히.

"선생님 저.."

머뭇거리던 한 학생의 뒤로 보디가드 친구들이 키득거렸다. 무슨 일이야? 내가 물으니 사진을 같이 찍고 싶단다.

어색함이 잔뜩 묻은 얼굴로 사진을 찍고도 좋아서 활짝 웃는 아이였다. 3번을 오락가락하면서도 지친 기색 없이 좋다며 웃는, 이런 때 묻지 않은 순수함이 또 어디 있을까.

다소 엉망이었지만 성황리에 끝마친 부스를 정리하며 이런저런 생각들이 들었다. 다음번 부스를 하게 된다면 어떤 부분들을 참고하고, 어떤 부분들을 개선시켜야 할 지에 대해서.

지쳐서 나가떨어지는 것이 아니라 개선 방법을 생각하고 있는 나를 보자니, 얼렁뚱땅이어도 교사는 교사구나 싶어 웃음이 터져 나왔다.

그래. 조금씩만 더 나아지면 됐지. 뭘. 그런 생각과 함께 박테리오파지를 주머니에 넣고 과학실을 나섰다.

딸깍-!

시끌벅적했던 과학실도 좀 쉬어야겠다.

연하남+꽃+배려=진리

혹시 나의 글 중 '첫 스승의 날 기념은 쿵!'의 남학생을 기억하시는가? 그때 그 학생은 나와 더 매너 있는 남자가 되자고 약속했었다. 그 이후 학생의 달라진 매너에 세 번 심쿵한 이야기를 풀어보려 한다.

첫 번째 심쿵 에피소드는 따뜻한 날 급식지도를 하고 있었을 때의 이야기다. 아이들의 얼굴을 하나씩 외우며 반갑게 인사하던 중, 문득 그 남학생이 반갑게 인사를 건넸다. 내가 보이는 곳에서, 편안한 목소리로, 천천히, 내가 놀라지 않게.

"선생님, 안녕하세요!"

그 배려에 나는 웃음을 터트리며 인사를 받았다. 장난칠 때와는 다르게 차분하면서도 듣기 좋은 목소리에(이미 나와서 아시겠지만 나는 목소리에 엄청 예민하다.) 두 손을 흔들며 말했다.

"와! 너 그렇게 목소리 내니까 듣기 좋다~!"
"오.. 그런가요? 식사는 하신 거죠? 아, 선생님. 이거요."
"이게 뭐야?"
"저쪽에 피는 꽃이에요. 샘 드리려고 가져왔어요."

급식지도 힘내세요! 남학생은 젠틀하게 인사를 꾸벅하고는 웃는 얼굴로 줄의 끝을 따라갔다. 연하남에게 이렇게 꽃을 받을 줄이야. 한동안 이 사진은 나의 프로필 사진이 되었다.

두 번째 심쿵했던 에피소드는 그 학생이 얼마나 내 말에 귀를 기울이고 있는가를 느꼈던 순간이었다.

나는 대학생 때 무릎을 다치는 바람에 날이 춥거나 갑자기 바람이 세게 불면 한쪽 다리를 절룩일 만큼 아파했다. 항상 아픈 것은 아니지만 예고하지 않고 찾아오는 통증은 꽤 불편하고 서러운 일이었다.

어느 날 추웠던 주말이 지나고 그 남학생이 있는 반에 들어갔을 때였다. 앞자리에 앉아있던 학생은 대뜸 내게 안부를 물었다.

"선생님, 주말 간 잘 지내셨어요?"
"응? 그렇지? 늘 그렇듯이 공부하고 지냈지. 왜, 주말에 무슨 일 있었어?"

나는 뜬금없는 안부에 그저 눈을 동그랗게 뜨고 끔벅였는데, 뒤에 이어 나온 학생의 대답에 탄식했다.

"주말에 갑자기 날씨가 추워졌잖아요. 선생님 날씨 추워지면 무릎 아파하시니까요. 주말 간 선생님 괜찮으신가 하고 걱정되었어요."

와! 이렇게 멋지고 젠틀한 남자가 또 어디 있을까! 이렇게 나는 또 한 번 심쿵사고를 당하고 말았다.

마지막 에피소드는 학교 축젯날의 일이었다. 그 학생이 있는 곳 앞자리가 내가 앉은자리였고, 이 학생은 기타 연주를 위해 내게 응원을 받고 나가 멋진 연주를 끝내고 왔다.

나의 바로 뒤에 앉아서 조잘조잘 떠들며 무대에 흘러나오는 새로운 노래를 알려주고 학생의 무대에 대해서 대화를 나누고 있을 때쯤,

"꺄!!"
"와!!"

학생들이 좋아할 만한 무대가 시작되었다. 바로 힙합! 학생들은 빠르고 거침없는 무대에 신이 나서 소리를 질러대며 즐겼다. 그리고 소리에 예민한 나는 슬슬 고통이 몰려오기 시작했다. 그리고 그때,

톡톡-!

"선생님, 귀 괜찮으세요? 제 이어폰 빌려드릴까요?"

학생은 걱정이 담긴 표정으로 자신의 이어폰을 주섬주섬 꺼내며 물었다.

"어? 응.. 샘 괜찮아.."
"괜찮으신 거치고는 자세가 자꾸 뒤로 가시는데요? 선생님 소리에 예민하셔서 이렇게 큰 소리 힘들어하시잖아요. 너무 힘드시면 말씀해주세요. 제 이어폰 빌려드릴게요."

귀를 찢을듯한 함성과 빠른 랩 사이에서도 똑똑히 들린 학생의 말들. 그 말들에 나는 깊게 탄식했다.

아. 이토록 배려심이 넘치고, 이렇게 짧은 시간 안에도 멋지게 성장할 수 있는, 예쁘고 고운 새싹이었구나. 그저 장난 한번 친 것으로 문제아로 낙인찍히거나, 미움을 받을 아이가 절대 아니었구나. 내가 그날 보았던 이 아이의 진심과 순수함이 맞았구나. 라고.

어쩌면 날 넘어트렸던 그날, 혼내고 미워하고 끝났을 수도 있었을 것이다. 그러지 못한 이유는 그저 많은 장난기로 인해 받은 오해가 쌓여, 자신을 짓누르고 있던 학생의 눈동자 속 죄책감 때문이었다. 그럼에도 빛나는 순수함은 절대 내게 화를 낼 수 없게 만들었다.

그래서 약속했었다. 매너 있는 멋진 남자가 되자고. 그리고 1년도 되지 않는 찰나의 시간 동안 학생은 그 약속을 지켰다. 자신의 행동과 말을 통해서.

나를 만났기에 바뀌었다고 이야기하는 분이 계실지도 모르겠다. 하지만 나는 그렇게 생각하지 않는다. 그 학생은 원래 그렇게 매너 있고 멋진 아이였고, 나는 그저 그 새싹을 보고 예쁘다. 한마디 해준 것이 전부였을 뿐이니까.

이제 그 학생은 앞으로도 분명 멋지고 매너 있는 사람으로 살아갈 것이다. 그렇기에 나는 사랑을 줄 또 다른 예쁜 새싹을 찾아 예쁘다 얘기해주어야겠다.

그것이 바로 선생님인 내가 해야 할 숙명이니까.

직무유기자 검거 대작전

"선생님. 혹시 이런 학생을 보셨습니까?!"
"이게 뭐야!"

다급하게 뛰어오는 보디가드 학생들. 그리고 그들이 들고 있는 WANTED 수배서. 그 속에 자리 잡은 학생은 어쩌다가 저 속에 들어가게 된 걸까.

1년 내내 나를 가장 잘 따르던 학생 A가 있었다. A는 언제나 수업 전, 후로 항상 내게 와서 이쁨을 뽐내고 그만큼 내게 이쁨을 받았다. 언제나 예의 바르고 착한 학생. 그것이 A의 진면모였다.

그런 A 덕분에 보디가드 학생들까지 거의 7, 8명의 학생들이 나를 따랐고, 그 덕에 남학생들 반 수업이 수월했다. 확실히 아이들의 마음이 가는 곳에 가시밭길 같은 것은 없었다.

그랬던 A와의 관계에 삐걱하는 작은 일이 생겼는데, 그 일 이후로 A는 시무룩한 모습으로 나를 피했다. 전혀 A가 잘못한 것도 아니었음에도 A는 내게 미움을 받을까 싶어서 지레 겁을 먹은 듯했다.

그리고 그런 A는 결국 나와 약속했던 '업무 도와주기'를 하러 오지 않았다. 이 업무는 전교의 교무실을 돌아야 하는 번거로운 업무였는데, 교무실은 안타깝게도 12, 13개 정도가 되어서 더욱 고되고 힘들었다.

그런 일을 항상 도와주었던 A는 시무룩해진 이후로 아무리 불러도 오지 않았다. 그래도 내가 좋았던지 A는 친구인 보디가드 학생을 보냈고, 그렇게 온 보디가드 학생은 나를 보며 말했다.

"선생님. 걔 선생님께 혼나고 미움받을까 봐 무서워서 그래요."
"그러게.. 선생님은 우리 A 안 미워하는데. 어떻게 하면 좋을까?"
"이거 원래 걔가 해야 하는 일이잖아요. 그러니까 직무유기죠. 잡아야죠."
"음 그러면 너희가 한번 검거해 볼래? 선생님이 불러도 안 오는 직무유기자를 말이야."
"좋아요!!! 저희가 멱살이라도 잡아서 끌고 오겠습니다!!"

보디가드 학생은 환하게 웃으며 우다다 뛰어갔고, 다음날 친구들과 함께 학교를 뛰어다니며 종이를 흔들어댔다.

"선생님 이것 좀 보세요!! 혹시 이렇게 생긴 자를 못 보셨습니까?!"
"대체 이게 뭐야! 하하하!"
"악랄한 직무유기자의 수배서입니다! 재가 만들었어요!"
"그럼 저희는 이만 직무유기자를 찾으러 가보겠습니다!"

친구들의 격렬한 추격 끝에 직무유기자는 검거되었고, 입이 있어도 말을 하지 못하는 직무유기자는 내 앞에 끌려오게 되었다.

"직무유기자씨. 그대 덕분에 친구들이 얼마나 고생했는지 알아요?"
"그 친구들한테 맛있는 거 꼭 사주도록."
"그리고, 선생님은 우리 A 절대 안 미워해. 혼낼 생각도 없어. 너를 왜 미워하니, 내가."

마지막 말과 함께 잔뜩 굳어있던 A의 표정이 풀려갔고, A는 다시 처음처럼 돌아왔다. 아마도 간절히 듣고 싶었을 것이다. 자신을 미워하지 않는다는 말을.

그렇게 아이들의 진심을 본다. 그러기 위해 노력한다. 아이들이 듣고 싶어 하는 말이 무엇인지, 그 말을 전하기 위해서, 다소 요란한 방법이라도 기꺼이 행하고 또 다가간다.

그 요란함 끝에 비로소 말을 전했을 때, 환하게 웃어줄 학생의 미소를 떠올리면서. 그렇게 절대 미워하지 않는다는 확신을 가질 수 있게.

그 확신은 분명 학생들의 가슴속에 남아 큰 힘이 될 것이다. 그럴 것이라고 믿는 나는 오늘도 학생들에게 다가가기 위해 노력한다.

와.. 많이 배웁니다

옛말에 그런 말이 있다. 세 명이 만나면 그중에 반드시 한 명에게는 배울 것이 있다는 말.

나는 그 말이 항상 윗사람에게만 해당하는 말이라고 생각했다. 하지만 그것은 오산이었다. 그 한 명이 나, 막냉이가 될 줄은 몰랐으니까.

FM 선생님과 다른 선생님들 함께 대화를 나누던 어느 날이었다. 배우고 싶은 것이 많은 FM 선생님의 입에서는 또 새로운 배울 것들이 쏟아져 나왔고, 나는 그것들을 받아 적으며 나름대로의 공부를 하고 있었다.

"오 맞아요. 저도 얼마 전에 애들 디벗 사진에 찍혔거든요."

몰래 카메라에 대한 이야기 끝에 나온 나의 경험담. 크게 심각한 사진은 아니었으나 갑작스레 찍힌 사진에 꽤나 놀라고 당황했던 일이어서인지 곧바로 그때의 일이 튀어나왔다.

"필기를 적으라고 시간을 주었는데 제 뒷모습까지 찍었더라고요. 그래놓고 자랑을 하는데 너무 당황했어요."
"그래서 어떻게 했어요?"

"당장 지우라고 했죠. 이렇게 하면 너 앞으로 선생님하고 지금처럼 못 지낸다고. 혼을 냈어요."
"네..?"
"에? 왜요?"

되돌아온 답이 너무도 어색한 물음표여서 나는 하던 말을 멈추고 FM 선생님을 바라보았다. 뭔가 굉장히 놀라운 이야기를 들으셨다는 듯 동그란 눈을 깜박이던 FM 선생님께서는 어색하게 고개를 끄덕이셨다.

"그럴.. 수도 있겠네요. 뭔가 우리와는 다르지만요."
"달라요? 뭐가 달라요?"
"우리는 선생님처럼 인기가 많지 않거든요."
"에? 인기요? 이런 게 무슨 인기예요!"

내가 못 믿겠다는 표정으로 방방거리자 FM 선생님께서는 어깨를 으쓱해 보이셨다.

"어휴. 우리 같았으면 애들이 선생님? 하고 손으로 까딱이면서 비키라고 하죠. 같이 찍고 싶어서 애쓰지 않아요. 애들이 선생님이 사진에 나오는 걸 얼마나 싫어하는데요."
"그게 뭐예요!"

심드렁하게 손을 까딱해 보이는 FM 선생님의 표정이 너무나도 현실적이라 웃음이 터졌다.

"우리는 애들을 포섭하기도 바쁜데 혼을 낼 때 잘라내고 밀어내는 것을 고민하다뇨. 고민의 방향이 아예 다른데요. 그런 게 혼이 될 수 있다는 게 놀랍기도 하고, 정말 대단하시네요."
"아니, 놀리지 마세요, 선생님!"

부끄러움과 민망함에 얼굴을 붉히자 FM 선생님께서는 아니라는 듯 고개를 가로저으셨다.

"아까도 애들이 어느 과목 선생님이냐고 물을 때 뭐라고 답하신댔죠?"
"'통합과학이에요. 왜요? 혹시 무슨 문제 있어요?'라고 해요."
"거봐요. 나 같았으면 '왜. 뭐.' 했을 텐데 진짜 말투부터 다르네요."

FM 선생님께서는 키득거리시면서 혀를 내두르시고는 마지막 말씀을 덧붙이셨다.

"저도 덕분에 많이 배웁니다, 선생님."

항상 나는 배우는 쪽이라고 생각했다. 너무도 당연하게도 나는 어렸고, 첫해였고, 막냉이였으니까. 아무것도 모르고, 낯설고, 뚝딱거리는 게 너무도 당연했으니까.

그럼에도, 그런 내게도, 나만의 방법이라는 것은 있었나 보다. 그리고 그것을 배운다고 말씀하시는 한참 위의 선배 교사가 계실 줄은 더더욱 몰랐다.

아직은 어색하고 어렵지만, 그래도 차근히 나만의 방법을 다져가다 보면 언젠가 나도 만나게 될 막내 선생님에게 'OO 선생님'으로 불릴 수 있지 않을까?

그런 기대감과 함께 오늘도 나만의 방법을 다지기 위해 노력하고, 또 노력한다.

사진 같이 찍어요

"내가 이런 거 찍어도 되나 모르겠네.."
"괜찮아요! 어서 오세요, 선생님!"

1년이 부지런히 지나가고 거의 막바지에 다다른 어느 날, 수업을 하기 위해 자리를 나서던 내게 여자 학생들이 따라왔다.

"선생님!"
"추운데 왜 왔어~"

지금 곧바로 들어갈 반의 아이들은 무엇인가 기분이 좋은 듯 입가에 미소를 담고 있었다. 빵빵한 패딩 사이로 빨간 얼굴은 추위에 달아 있었지만, 아이들에게 그런 것은 그다지 문제가 되지 않는 듯했다.

"선생님, 여쭤볼 게 있어서요."
"뭔데 이렇게 미리 왔을까~?"
"선생님 저희 반 아이들이랑 사진 찍으시는 거 어떠세요?"
"사진..?"

정말 뜬금없는 질문이었다. 담임이 아니었던 내게 단체 사진이란 동아리 단체 사진뿐이었고, 그래서 학생들과의 단체 사진은 한 번도 생각해보지 않았던 영역이었다.

"혹시 싫으세요..?"

깜짝 놀란 내가 두 눈을 굴리며 생각에 잠기자, 아이들은 조심스럽게 물음을 던졌다. 아마도 내가 거절할 것 같은 모양이었나 보다.

"아니. 그런 건 아니야. 그냥 그래도 되는지 모르겠어서 생각을 좀 했어."
"그러면 안 되는 이유가 어디 있어요! 우리가 선생님이랑 찍고 싶다는데."
"그건 그렇지만.."
"같이 찍어요. 네?"

아이들은 같이 찍자며 입을 모아 외쳤고, 아무리 생각해도 크게 문제 될만한 이유는 없어 보여서 나도 마침내 고개를 끄덕였다.

"알겠어요. 같이 찍자."
"선생님, 이리 오세요!"
"가운데 서셔야 해요."
"나도 선생님 옆으로 갈 거야!!"
"나도, 나도!"
"다 나와?"
"어! 다 나와!"

조잘조잘 쉬지 않고 이어지는 작은 목소리들 한가운데에 자리를 잡고 서자, 아이들은 기다렸다는 듯 내 곁에 달라붙었다.

문득 가까워진 물리적인 거리에 아이들이 나를 얼마나 가깝게 생각하고 있는지가 느껴져 괜히 가슴이 간질거렸다.

"자, 찍을게요!! 하나 둘 셋!"

찰칵-!

여러 번의 경쾌한 찰칵 소리와 함께 아이들의 예쁜 웃음이 사진으로 남았고, 그 사진을 받았을 때 나는 비로소 아이들과 같은 웃음을 지을 수 있었다.

담임도 아니고 그저 한 명의 교과 선생님일 뿐이었다. 그런데도 1년이 거의 마무리되어갈 때, 아쉬움에 사진을 남기고 싶은 선생님으로 아이들은 나를 지목했다.

그 고마운 마음들이, 환한 미소들이 너무도 예뻤다. 자신의 마음을 솔직하게 표현하고, 다가와 드러내는 것이, 너무도 사랑스러웠다.

앞으로 만나게 될 학생들에게도 이런 선생님으로 남고 싶다. 1년을 함께하고 나서도 아쉬움에 사진이라도 남기고 싶어지는, 그런 사이로.

그리고 내게 사진을 권한 아이들도 남은 학창 시절 동안, 늘 그런 선생님들을 만나 좋은 추억만을 쌓았으면 좋겠다. 뒤돌아 떠올렸을 때 그저 행복만 가득히 빛나는 추억으로.

가장 추운 날 등장한 7명의 천사들

겨울철이 되면 김장을 한다. 물론 학교에서 김장을 할 일은 그다지 없지만, 이번 겨울은 달랐다. 가장 추웠던 날, 복도에서 해야 했던 꼬질한 김장에 한숨을 쉬었고, 그런 나를 도와준 7명의 천사들이 있었다.

김장이면 김장이지 꼬질한 김장은 뭐야? 라고 물음표를 가지실 것을 이해한다. 나도 처음 들었을 때는 으잉? 했다가 빵 터져서 웃었으니까.

생활안전부에서 맡았던 환경업무의 마무리로 각 층의 대걸레 헤드를 바꾸는 작업을 실시했다. 대걸레의 개수가 엄청났고, 젖어있는 대걸레 헤드의 무게는 상상을 초월했으며, 돌아야 하는 층은 자그마치 7개의 층이었다. 그리고 가장 막막한 것은 그날이 그 해 들어 가장 추웠던 날이었다는 점이었다.

"어떡하지.."

나 혼자 한다는 것은 불가능이었다. 더욱이 헤드를 갈아 끼운다 해도 그 많고 무거운 헤드를 어떻게 다 옮겨 밖에 버릴 수 있겠는가? 학기 중이었다면 잘못한 학생들에게 선도의 개념으로 함께 할 수라도 있지만, 애석하게도 그 시기는 학기의 막바지였다.

"어.. 왜 이 인원뿐이야?"

결국, 나는 늘 나를 도와주던 학생에게 최대한의 인원을 모아 와달라고 부탁했다. 그리고 돌아온 인원은 달랑 3명이었다.

"그게.. 애들이 코로나랑 독감에 걸려서요.. 괜찮아요! 뭔지는 몰라도 저희로 충분해요!"
"오.. 안돼.. 너희 셋으로는 절대로 못해.."

절망감에 고개를 가로젓자 학생들은 걱정 말라며 어깨를 으쓱였다.

"그러면.. 일단 가장 급한 너희 층부터 하자. 나머지는 나중에 조금씩 하는 거로 하고.."

가장 대걸레가 부족한 곳이 바로 1학년의 남자반 층이었기에, 그곳으로 수많은 대걸레와 대걸레 헤드, 그리고 비닐봉지를 챙겼다.

"이걸.. 다 갈아요..?"

아이들은 더러운 대걸레에 처음에는 움찔했지만, 두 손을 걷어붙이고 내가 먼저 대걸레를 갈자 이내 결심한 듯 일제히 분주하게 움직였다. 점심시간이었던 탓에 주변에 친구들이 쳐다보고 있음에도 전혀 아랑곳하지 않고 조금이라도 내 손에 대걸레가 닿지 않게 하려 속도를 높이는 아이들의 모습에 가슴이 뭉클한 고마움을 느꼈다.

"선생님 저희가 할게요!"
"맞아요. 그거 더러워요. 만지지 마세요."
"선생님 손 다치시면 안 돼요! 저희가 할게요."
"어? 선생님? 너희 뭐 하냐?"

바쁘게 손을 움직이며 대걸레를 갈고 있으니, 주변에 슬슬 아이들이 몰려들었다. 그러더니 이내 도와드릴까요? 하는 물음과 함께 손을 걷어붙이고 대걸레를 갈기 시작했다. 그리고 그때,

띵동-!

5교시 시작을 알리는 예비 종소리에 아직 끝내지 못한 대걸레를 보고 사색이 되었다. 이 층이라도 마무리지어야 하는데 어떡하지? 당황스러움에 물든 눈동자를 캐치한 학생 한 명이 잠시만요. 라는 말을 하더니 자리를 비우더니 이내 다시 돌아와서 말했다.

"선생님. 다음이 창체라 담임 선생님께 허락받았어요. 끝까지 도와드릴게요."
"어? 뭐라고? 허락받았다고?"
"네. 저희 반은 다 허락받았어요. 그러니 걱정 마세요."
"그럼 저희도 담임 선생님께 허락받고 올게요."

각기 다른 반의 학생들이 일제히 자신의 담임 선생님께 전화를 드리는 모습이란. 당황한 나는 다시금 담임 선생님들께 연락을 드리고 죄송함을 담아 상황을 말씀드리며 양해를 구했다. 다행히도 선

생님들께서는 흔쾌히 허락을 해주셨다.

그렇게 처음에는 3명이었던 학생들이 7명으로 늘어났다. 게다가 점점 늘어나는 쓰레기봉투 속 대걸레에도 자신들이 남자라며 불평 없이 씩씩하게 들고 옮겼다.

"선생님, 드디어 꼬질한 김장이 끝났습니다."
"꼬질한 뭐..?"
"대걸레요. 꼬질꼬질한 배추 같잖아요. 그러니까 저희는 지금 김장을 하고 있는 거죠."
"푸하-!"

웃음이 터져 한참을 웃었다. 어쩜 그렇게도 긍정적이고 창의적인지.

개수를 세어서 딱 맞게 주문했다고 생각했던 대걸레 헤드의 부족함에 창고에 앉아 시무룩해진 나를 보며

"괜찮아요, 선생님. 선생님은 수학 선생님이 아니시잖아요."

라며 담담하게 위로하던 학생. 다 끝났다며 쓰레기를 한껏 들고 꾸벅 인사하며 돌아가던 학생. 도와드리는 것만도 좋다며 씩 웃음 짓고 가던 학생. 조심 또 조심하라며 동동대는 내게 걱정하지 마시라며 오히려 안심시키던 학생까지.

온몸이 떨릴 정도의 추위 속에서 꿈처럼 등장해 준 7명의 천사들 덕분에 나는 내 업무를 마무리 지을 수 있었다.

어쩌면 힘들다며 요령을 피울 수도, 수업이라며 들어가 버릴 수도 있었을 일이었다. 날도 추워 대걸레마저 꽁꽁 얼어버린 날씨에 얼마든지 피했어도 이해했을 일이었다.

그럼에도 천사들은 그러지 않았다. 심지어 틈틈이 잠깐씩 도와준 천사들도 더 있었다. 이 천사들이 내게 건네준 도움은 분명, 내가 자신들과 지낸 1년에 대한 진정한 교원 평가이지 않았을까?

교사와 학생의 관계가 굳어지지 않았으면 좋겠다. 서로가 서로에게 고마움을 가질 수 있는 사이가 되었으면 좋겠다.

그러다 보면 또 추운 어느 날, 생각도 하지 못한 예쁜 천사들을 만날 수 있지 않을까.

학교의 산타가 건네준 크리스마스 선물

'선생님, 혹시 자리에 계신가요?'
'응? 지금 있지.'

크리스마스.

누구나 들으면 들뜨는 단어였다. 산타에게 선물 받기 위해 일찍 잠에 들거나, 산타를 보겠다며 눈을 애써 감은 채 기다리다가 잠들어 버리고는, 아침에 일어나 머리맡의 선물을 확인하는.

기분이 풍선같이 부푸는 특별한 날.

하지만 연인도 없는 내게 있어 크리스마스는 그다지 중요한 날도 아니었다. 그저 '다들 놀러 갈 테니 나이스가 버벅거리지 않아 더없이 좋은 생기부 작성 날'이었을 뿐이었다.

하지만 이토록 낭만 없는 초보 교사에게도 산타는 있었다. 정말 생각도 못 한 사랑스러운 산타였지만.

며칠 전 학생에게 연락이 왔다. 평소 내가 가르치는 학생은 아니었고, 같은 부서 선생님의 반이었는데, 나와의 접점은 동아리와 심화탐구 활동뿐이었다.

동아리 때와 별개로 심화 탐구 활동을 지도하면서 느꼈던 건, 굉장히 뭐든 열심히 하는 학생이라는 점이었다. 과정에 비해 결과가 안 좋을 때도 있었지만 확신할 수 있는 건, 이 학생을 결코 결과로만 판단해서는 안 된다는 점이었다.

"우리 이쁜이!"

그것이 내가 그 학생을 부르는 애칭이었다. 항상 열심히 하는 모습이 예쁘다고, 최선을 다하는 것이 제일 좋다고, 그렇게 그 학생의 태도를 늘 칭찬하고 응원했다.

그래서였을까? 같은 부서 선생님이 담임 선생님임에도 불구하고 그 학생은 나를 무척 따랐다. 다행히도 그 선생님께서도 초보 교사인 나를 무척 예쁘게 봐주셨기에, 나도 마음껏 학생을 응원했다.

학생은 내게 연락해서 대뜸 가습기에 대해 물었다. 가습기를 쓰지 않았던 나는 잘 모른다고 답했고, 그걸로 끝이라고 생각했다.

"선생님."

한창 점심을 먹어야 할 시간에 학생이 교무실로 들어왔다. 부장 선생님을 포함한 부서 선생님들이 모두 계실 때였다.

"아구, 이쁜이! 무슨 일로 왔어?"
"이거 드리려고요."

학생의 손에 들려있는 박스. 그 박스 겉면에는 익숙한 캐릭터 '춘식이'가 자리 잡고 있었다.

"아니.. 이게 뭐야?"
"가습기예요."

이미 이전에 나의 생일을 챙겨주고 싶다며 기프티콘을 주었던 전적이 있었는데, 왜 생각하지 못했을까? 다시 동아리 회장이 된 기념과 더불어 시험이 끝나고 고생했다며 기프티콘과 이모티콘을 선물했을 때, 그때 주고받는 마음은 다 끝났다고 생각했는데.

"1년 동안 감사했다는 의미에서 준비했어요. 그리고 미리 드리는 크리스마스 선물이에요. 고맙습니다."

학생은 사촌 동생이 만지는 바람에 상자가 구겨졌다며 멋쩍어했다. 나는 교무실 한가운데서 어색함과 감동을 동시에 받으며 선물을 받아 들고 연신 중얼거렸다.

"아니.. 네가 무슨 돈이 있다고 이런 걸 샀어.. 샘이 더 뭘 해줘야 하는데 맨날 받기만 해서 어떡하니.."

나의 미안함과 감동이 섞인 말에 학생은 환하게 웃어 보였다. 그렇게 나도 몰랐던 나의 산타는 가벼워진 마음으로 점심을 즐기러 떠났고, 나는 연신 춘식이 가습기를 끌어안으며 부서 선생님들께 자랑하고 또 자랑했다.

고등학생이 되면 결과로만 판단이 되는 경우가 많아진다. 그렇기에 결과가 과정보다 부족한 학생들은 항상 속상함을 안고 살아간다.

하지만 나는 결과만큼이나 과정도 중요하다고 생각한다. 이 학생 또한 아무도 봐주지 않은 자신의 '과정'과 '노력'을 칭찬해 주고 응원해 준 선생님에게, 무엇이라도 감사함을 표현하고 싶었던 것이 아닐까?

결과만이 다가 되는 세상이 되지 않았으면 좋겠다. 공부의 틈새에서 뭐라도 시도하고 또 좌절했다가도 다시 일어나는 그 작은 성장들을 마주 보고, 사랑해 줄 수 있는 그런 교사가 되고 싶다.

그렇게 된다면 그 아이들은 분명히 자라나서, 또다시 그런 아이들을 길러내는 선순환을 이루어 낼 테니까.

어느 색깔을 가장 좋아하세요?

"선생님. 어느 색깔을 가장 좋아하세요?"
"나? 선생님은 파란색!"
"감사합니다!"

초등학생 시절 언젠가 보았던 작은 심리테스트 책 속 행운의 색깔. 파란색. 그것이 왜 그렇게 기억에 남는지는 알 수 없지만 유독 각인되어 그 후로부터는 파란색이 괜스레 좋았다.

커가면서 실제로도 포카리스웨트처럼 푸른색이나 그리스의 산토리니처럼 파란색을 볼 때면 너무도 편안한 마음을 갖게 되었다. 그것은 맑은 하늘을 올려다볼 때와 비슷한 느낌이었는데, 정확히는 상쾌함과 안정감 그리고 자연의 그 무엇인가를 느낄 수 있다는 점이었다.

넓고 넓은 바다. 그 속을 헤엄치는 돌고래와 고래. 그리고 자유로움과 선선한 바람. 그런 것들이 떠오르는 색. 작디작은 그 책만큼이나 작은 동심과도 함께인 색. 난 그래서 파란색이 좋았다.

그런 내게 파란색은 여전히 행운의 색이자 즐거움을 주는 색이었기 때문에 어느 날 갑자기 다가온 여학생의 질문에도 망설임 없이 답할 수 있었다.

"선생님은 파란색이 좋아."

춥디추운 겨울. 벙어리 장갑과 목도리로 무장한 채 시린 복도를 따라와 건넨 질문치고는 굉장히 간단한 질문이었다. 게다가 종잡을 수조차 없는 질문이기도 했다.

한 해를 지내보니 대체로 아이들이 그런 질문을 하는 때는 대체로 '무엇인가를 선물하고 싶어서'인 경우가 많았다. 작은 과자부터 시작해서 작은 액세서리와 응원까지. 별별 다양한 선물들이었지만 학생들이기 때문에 줄 수 있는, 그런 소중한 선물들이었다.

그런데 색깔은 왜 묻지? 나는 갸우뚱하며 멀어져 가는 여학생의 뒤를 바라보았고, 며칠 뒤 그 질문의 답을 알 수 있었다.

"선생님, 선물이에요!"

열심히 접어서 스티커까지 녹여 붙인 소중한 편지. 그 편지의 색깔은 바로 내가 며칠 전 좋아한다고 했던 그 파란색이었다.

어쩜 파란색에도 다양한 채도와 명도가 있는데 내가 좋아하는 색을 쏘옥 골라왔을까? 그 뒤에 새겨진 작은 글씨로 자신의 이름과 내 이름을 적으며 아이는 무슨 생각을 했을까?

생각하지도 못한 빼곡한 편지의 내용에는 내 수업이 너무 좋았고, 내년에도 배우고 싶다는 바람이 들어있었다. 아이는 그렇게 나의 수업에 대한 자신의 진심을 담아 1년을 마무리하는 겨울에 선물해 주었던 것이었다.

날이 차갑고 살아있는 모든 것이 숨을 죽이는 겨울이 다가왔다. 나라는 작은 나무의 1년의 마무리이자 내년의 미래를 약속하지 못하고 인사를 해야 하는, 그런 쓸쓸한 시간이다.

하지만 그런 쓸쓸함을 녹여버리겠다는 듯 따뜻한 진심으로 가득 찬 편지를 받을 때면, 벅찬 감동으로 뱃속이 간질거려 온다. 그래서 괜히 편지를 쓰다듬고, 맘에 와닿는 구절을 여러 번 더 읽게 된다.

그렇게 읽으면서 학교라는 곳에, 아이들이 있는 곳에, 내가 필요하구나. 하고 생각을 떠올리게 된다. 그렇게 내가 있을 자리를 또다시 다지게 된다. 이곳이 내가 싹을 틔울 곳이 맞다고, 이곳이 내 자리라고.

새해를 맞이하고 또다시 새로운 학생들을 만나게 될 때면, 이 편지에 담긴 응원과 사랑을 가지고 살아가야겠다. 그렇게 1년씩 1년씩 아이들의 사랑을 쌓아 성장하다 보면 언젠가 아이들이 뒤돌아봤을 때도 보일, 커다란 나무가 될 수 있지 않을까.

엄마 오리 해주시느라 고생하셨습니다

혹시 1년간 함께 한 동료 선생님께 적합한 인사말은 무엇이라고 생각하는가?

"선생님. 1년 동안 고생 많으셨습니다."

라고 생각하셨다면 오산이다. 삐약이 교사의 마지막 인사말은 그렇게 평범하지 않았으니까.

'그래서 그렇게 예쁘게 크셨구나'의 주인공이신 감동 선생님을 기억하시는가?

감동 선생님께서는 첫인상과 달리 나를 매우 아껴주셨다. 1년간 함께 대화를 나누면서 느낀 건 아무래도 미래에 예쁘게 클 자신의 딸을 생각하시면서, 좌충우돌이지만 열심히 하려는 초보 교사를 보시며 먼 후배 교사라고 생각하시면서, 아빠이자 삼촌이자 선배 교사로서 나를 챙겨주신 것 같았다.

감동 선생님께서는 주로 교무실에서 둘만 남았을 때 편하게 대화를 나누셨는데, 우리 가족 얘기를 가장 흥미롭게 귀 기울여 들으셨다.

예전 오빠와의 일화로 내가 주말 아침에 게임을 하고 있으면(우리는 주말에 하루 2시간만 게임을 했다. 토, 일을 몰아서 하루에 4시간도 가능했다.) 어느샌가 다가와서 게임을 몇 시간 했는지 체크하고는 약속된 시간보다 더 하면 혼을 내고 끄게 만들었다.

아이 땐 조금 더 하고 싶을 수도 있는데 그걸 기어이 못 하게 하는 게 너무 미웠었다고, 그런 얘기를 했었다. 또, 공부를 안 하고 오빠 방에서 뒹굴거리고 있으면 공부하라고 다그치거나 혼을 내기도 했고, 초등학생 때는 등교하기 전에 오빠랑 같이 천자문을 읽기도 했었다.

"진짜 너무 하지 않아요? 완전 오빠한테 맨날 혼만 나고 살았어요. 해브(have)의 뜻은 아냐, 스펠링은 아냐. 이러면서. 어흐! 제가 그러니 오빠랑 맨날 싸웠죠. 투닥투닥하고."

일반적인 남매들은 다 이렇게 싸우거든요. 진짜 누구든 남매면 다 알 걸요? 누구나 가지고 있을 동생의 불만을 쏟아내며 투덜거리고 있을 때, 감동 선생님께서는 무엇이 그렇게 재미있으신지 푸하하하고 웃음을 터트리셨다.

"왜 그러세요?"

전혀 이유를 모르겠는 내 질문에 선생님께서는 이렇게 답하셨다.

"선생님께서 말씀하신 남매 사이는 일반적인 남매 사이가 아니라 세상 모든 부모님이 원하는 남매사이예요. 얼마나 사이가 좋고, 보기가 좋은데요."

선생님께서는 뜨악하는 나를 보시곤 내가 밝게 잘 자란 이유를 또 한 번 아실 것 같다며 미소를 지으셨다.

"선생님. 저 기분이 우울해요.. 화가 나기도 하고, 허탈하기도 하고.. 겨울이라서 그런 걸까요?"

낙엽이 떨어지는 겨울, 학기 막바지 떨어지는 나뭇잎들을 바라보며 내가 우울해하자 선생님께서는 말없이 내 마음을 들어주셨다. 내가 느끼는 감정들이 전혀 이상한 것이 아니라고, 자연스럽고 괜찮은 것이라고 다독이시면서.

이어서 선생님께서는 학교라는 특성과 그로 인한 1년 주기의 특징들을 짚어주셨다. 학기 초 가져야 할 마음가짐과 학기 중간 지쳤을 때 가져야 할 생각, 그리고 마무리를 하고 아이들을 떠나보낼 때의 표정까지 전부.

"새로운 학교에 가실 때면 학기 초 학교 규정집을 찾아서 정독하시는 것이 좋아요. 그래야 새로운 학교에 금방 적응할 수 있어요."
"2월 말 개학 전에 여유가 된다면 학부모님들께 전화를 한 번씩 드리는 것도 좋아요. 부모님과 아이들을 파악할 수 있고, 첫인상도 잘 남기면 1년간 소통을 할 때 수월하거든요. 결국은 모든 것은 사람의 마음과 마음이 연결된 것이니까요."

"학생들과 너무 가깝게 지내지 마세요. 어느 정도 선이라는 게 있다는 것을 확실히 알게 해주셔야 아이들도 헷갈리지 않고, 선생님도 힘들지 않아요. 어쨌든 선생님이 편안해야 아이들도 편안할 수 있는 거니까요."

"일 처리 순서는 항상 다른 선생님과 함께 하는 것을 먼저, 그리고 나 혼자 하는 것을 나중으로 두세요. 결국, 학교도 사람들과의 일이기 때문에 타인과 얽힌 것을 먼저 해결하는 것이 좋아요."

"같은 맥락으로 다른 선생님들이 도움이 필요로 하실 때는 여유가 된다면 옆에서 같이 도와주는 것이 좋아요. 그렇게 하면 분명 이후에 선생님이 힘들 때 도움을 주실 거예요. 도움을 주시는 데에 망설이지 않아도 돼요."

"모르는 것이 있을 때는 '처음이라 몰라요.'가 아니라 '어느 정도 찾아봤는데 여기까지 이해한 게 맞나요?' 나, '읽어봤는데 여기까지밖에 이해가 가지 않아서요. 이후에는 어떻게 진행하면 좋을까요?'라는 식으로 여쭤보는 게 더 좋아요. 같은 말 의미라도 아무것도 안 하는 게 아니라 노력하고 있다는 것을 보여주니까요."

"업무가 낯설 때는 작년도 업무 담당자 성함을 찾아서 에듀파인에 검색하시면 거의 다 나와 있을 거예요. 그냥 그대로 일정 처리하시면서 모르는 것은 부서 부장님께 여쭤보면 돼요."

"다른 선생님께 물어보는 것에 두려워하지 마세요. 어차피 다들 바쁜데 안 바쁜 거고, 안 바쁜데 바쁜 척하는 거예요. 질문 답해 줄 시간은 충분히 되니까, 두려워하지도, 미안해하지도 말아요. 물어보는 것보다 선생님이 몰라서 일정이 무너지는 게 더 미안한 일이 되니까요."

수도 없이 쏟아져 나오는 선생님만의 요령이자 비법이었다. 그 긴 시간 동안 쌓아 올리셨을 업무의 스킬이자 관계의 센스였다. 그 소중한 비법들을 선생님께서는 내게 가감 없이 모두 쏟아 알려주셨다. 그 많고 소중한 이야기들을 들으면서 나는 깨달았다. 왜 선생님이 나를 챙겨 주셨던 것이었는지를.

선생님도 나와 같았던 것이었다. 나와 같이 정이 많고, 뚝딱이고, 힘들어서 주저앉기도 했던. 누구보다 아이들을 사랑해서 그만큼 상처를 받아 무뎌진, 평온하지만 익숙함을 함께 하게 된, 그런 선생님이셨던 것이었다.

"이 정도면 선생님께서 좀 더 수월하게 하실 수 있으시려나요?"

더 이야기해 줄 것이 있나 생각하는 선생님을 앞에 두고 있자니 말하기도 어려운 벅찬 감정이 올라왔다. 누구보다 덤덤하고 차가워 보여서 조심스러웠던 분. 그런 분의 삶과 상처와 실망, 그리고 그 속에서 피어난 단단함. 선생님은 그것을 자신과 꼭 닮아서 더 상처받지 않았으면 하는 내게 담담하게 전달해 주시고 계셨다.

"언제든지 힘든 거 있으면 연락하세요. 업무가 달라서 다는 해결 못 해도 어느 정도 알려드릴 수는 있으니까요."

끝에 끝까지도 걱정 뿐이신 선생님. 내게 그 모든 예쁘고 아름다운 말씀을 아낌없이 해주신 선생님. 이 선생님이야말로 초보 교사인 내게 진정한 교사의 삶을 알려주시는 선생님이 아니실까? 나는 그런 생각과 함께 선생님을 향해 말했다.

"선생님. 1년간 엄마 오리 해주시느라 고생하셨습니다."

밝고도 낯선 내 인사에 선생님은 의아하다는 듯 고개를 갸우뚱하시다가 이내 무엇인가가 생각나셨는지 푸하하! 하고 웃음을 터트리셨다. 그 생각은 분명 내가 한 생각과 같았다.

"아, 그거 제가 했던 말이군요."
"네. 선생님께서 저 임시 담임할 때 엄마 오리가 된 것 같다고 해주셨잖아요. 제가 선생님 뒤를 졸졸 따라다녔고요. 그렇죠?"
"그렇네요. 그래요. 선생님도 그동안 고생 많으셨습니다."

환하게 웃으시는 선생님의 얼굴에는 더 이상의 근심이 없어 보이셨다. 마치, 할 얘기를 다 전달해 정말 다행이라는 듯이.

"선생님, 사람을 너무 믿지 마세요."

학기 초 선생님께서 내게 해주셨던 말씀이 문득 떠올랐다. 그 말씀을 듣던 처음에는 이해가 잘 가지 않았다. 왜 저렇게 말씀하시는 걸까? 나는 지금이 참 좋은데. 어떤 의미로 하시는 말씀인 걸까? 그 말씀을 들었을 때 이런저런 궁금증이 들었었지만 차마 여쭤보지 못했다. 굳게 닫으신 입술 사이로 더 나올 말씀이 없으신 줄 알았으니까.

하지만 1년을 함께 해보고 나서야 알았다. 선생님의 말씀 뒤에 숨겨진 진심이 무엇이었는지를. 물론 직접 듣지는 못했지만, 이런 마음이지 않으셨을까.

"선생님, 사람을 너무 믿지 마세요. 그러면 선생님만 상처받고 힘들어요. 부디 선생님이 상처받고 슬퍼하고 무뎌져서 빛을 잃게 되지 않기를 바라요. 그러니까 처음부터 너무 많은 정을 주지 말아요. 감정도, 관계도, 모두 시간의 흐름에 그대로 맡겨요. 순리대로. 자연스럽게. 그럼 모든 것이 좋아질 거예요."

굿바이, 아듀 생안부

"이것도 뺄까요?"
"네, 조심하세요!"
"와 진짜 많아요."
"그만큼 더 필요 없는 것은 버리자고요."

차가운 바람에 낙엽도 다 떨어지고 모두가 긴 패딩으로 몸을 감싸는 날, 유독 번잡스럽고 날이 갈수록 휑해지는 생안부에는 대체 무슨 일이 일어나고 있는 것일까?

학기 말, 방학을 앞두고 선생님들의 짐 정리가 한창이었다. 평소 같았으면 미리 짐 정리를 안 해도 되었을지 모르지만 이번에는 모든 선생님께서 일제히 부지런히 자신의 짐을 정리하기 시작하셨다. 마치 모두가 다 이사를 가야 하는 것처럼.

그렇게 된 것은 학교 자체의 일 때문이었다. 대체로 학교는 방학에 다양한 공사와 리모델링이 이루어지게 되는데 이번 방학에는 선생님들의 책상과 캐비닛을 다 바꾸고 생안부에도 구조적인 변화를 일으키겠다는 계획이 떴다. 그래서 선생님들은 모두 일제히 자신의 짐을 먼저 최소한으로 간추리시기 시작하셨다.

"부장님, 이거는 어떻게 할까요?"

고작 1년 차의 초보 교사의 짐은 얼마 되지 않았다. 게다가 업무와 관련한 짐은 내년의 인수인계를 위해서라도 생안부 짐과 함께 보관해야 했기에, 부장님께 전달해 드렸다.

어느 정도 짐들이 정리되고 나서는 선생님들이 모두 달려들어 생안부의 짐을 모두 꺼내어 버리고 정리하기 시작했다. 언제 샀는지도 모를 새까만 박스들과 아이들에게서 압수했던 공들, 그리고 최근에 사서 필요한 청소도구들까지. 저마다 다른 크기와 상태의 박스들은 쉼 없이 꺼내져 나왔고, 그중의 거의 절반을 훌쩍 넘는 대다수가 쓸모가 없다고 판단이 되어 카트에 싣고 쓰레기 분리수거장으로 향했다.

날이 추웠음에도 선생님들께서는 망설임 없이 교무실 안팎을 오가시며 쓰레기를 버리는 것에 여념이 없으셨고, 나도 옆에서 자잘한 쓰레기들을 치우고 정리를 도왔다.

"여기에 이렇게, 이렇게 상담실이 들어갈 거예요."
"와아.. 그럼 여기도 완전히 바뀌겠네요?"
"그렇죠. 여기도 많이 바뀔 거예요."
"하긴, 여기는 넓은데 잘 활용이 안 되었던 거 같아요. 더 좋아지겠어요. 어떻게 바뀔지 궁금하네요."

선생님들과 방학 동안 예쁘게 단장을 할 생안부의 모습을 떠올리다 보니 괜히 울렁거리는 기분이 들어 코끝이 찡해졌다.

"부장님, 저 오늘 먼저 나갈게요."
"그동안 감사했습니다, 선생님."
"방학 잘 보내세요!"

교무실의 모든 선생님께 인사를 드리고 혼자 남은 교무실. 처음과 다르게 텅 비어버릴 교무실에서 가장 먼저 빠지게 될 짐은 내 짐이었다. 나는 담임이 아니었기에 방학식이나 종업식날 꼭 있을 이유가 없어 모든 연가를 다 써서 미리 짐을 빼기로 결정했기 때문이었다.

그래, 가뜩이나 선생님들도 짐 빼시고 정리하시려면 정신없고 불편한데 나라도 먼저 빼는 게 낫지. 그런 생각으로 모든 선생님 들께 인사를 드리고 자리에 앉아있으니 이유 모를 쌀쌀함이 온몸을 감쌌다. 문득 바라다본 교무실 입구를 통해 들어왔던 1년 전의 내가 보이는 것만 같아 기분이 이상해졌다.

"그때 되게 걱정했는데, 여기는 정말 좋았어."

낯선 장소, 낯선 사람들, 낯선 자리. 하지만 그 모든 것들에 흠뻑 애정을 쏟을 수 있었던 것은 이곳에 계셨던 다른 선생님들 덕분이었다. 그래서 차가 오기 전까지 괜한 감사한 마음에 선생님들 자리를 한 번씩 보며 속으로 감사 인사를 한 번씩 더 전했다.

짐을 모두 빼고 나서, 문 앞에 서서 생안부를 바라보았다. 모두가 함께 있을 때보다 훨씬 더 쓸쓸하고 차가운 공간이 되어버린 생안부였다. 그 낯익고도 낯선 광경을 눈에 담으며, 모든 짐이 빠진 다음의 생안부에게 인사 해주지 못해서 미안하네. 그래도 다른 선생님들께서 인사해 주시겠지. 그런 마음과 함께 나는 생안부의 불을 껐다.

달칵!

카톡!

며칠 뒤 생안부 단톡방이 울렸다. 부장님께서 올려주신 모든 짐이 빠진 생안부의 사진이 올라왔다.

모든 선생님의 짐이 빠지고 필요 없는 것들이 버려진, 새 단장 할 준비를 마친 생안부의 사진을 보고 있자니 이유 모를 울렁거림이 다시 올라왔다. 그것은 겨울을 향해 가는 1년의 학교 주기가 마무리되는 순간에 느껴지는 우울감과 비슷했다.

아, 학교는 그렇구나. 이렇게 1년이라는 주기로 사계절이 지나가는구나. 설레는 봄에 아이들을 만나고, 여름의 더위와 싸우듯 아이들과 부딪히며, 가을의 편안함처럼 아이들과 익숙해지고, 겨울의 추위처럼 아이들과 이별을 하는구나. 그것이 아이들뿐이 아니라, 선생님들과도, 교무실도 마찬가지구나. 그렇게 자연스럽게, 순리대로 흘러가는 거구나.

생안부도 또 다른 만남을 준비하는 것이겠지. 작년에도 나와의 만남을 준비했던 것처럼 말이야.

그런 생각을 하니 조금은 무거웠던 마음이 가벼워지는 것 같았다. 지금의 이 슬픔도 자연스러운 것이고, 이별이 있으니 또 다른 만남도 있겠구나 하는 생각이 나를 위로했다. 이것이 얼마 전 감동 선생님께서 말씀하신 당부일지도 모르겠다고, 그렇게 생각하면서. 그동안 아낌없이 품을 내어준 생안부 사진을 한참 동안 바라보고 어루만지며 그렇게, 생안부와의 이별을 받아들였다.

"굿바이, 아듀 생안부. 품을 내줘서 고마워, 행복했어." 하고.

작가의 말

교육(敎育)이란 무엇인가? 교사(敎師)란 누구인가? 이 질문은 임용을 준비하고 교직의 길을 걷고자 하는 모두에게 주어지는 물음이자 자신이 행동으로 평생에 걸쳐 답해야 하는 질문이다.

올해로 2년 차 초보 교사인 나에게 있어 교육이란 '보다 나아질 것이라고 믿고 기다려 주는 것'이다. 그것이 나의 교육관이자 학생들을 향한 나의 가치관이다. 학생들은 아직 미성숙하며 경험을 쌓아 자신의 가치를 확인하고 자아를 완성해 간다. 그리고 이런 시기에 만나게 되는 모든 선생님은 학생 한 명 한 명에게 있어 큰 영향력을 발휘하고, 나아가 삶의 방향을 제시하는 사람이 될 수 있다.

그런 생각을 하다 보면 교사라는 존재가 엄청난 힘을 가지고 있음을 깨닫는다. 그렇기에 많은 교사는 앞선 질문에 깊이 고민하고 일선에서 많은 일을 겪으며 학생들을 길러내고, 사회로 내보낸다. 말을 잘 듣는 학생, 속을 썩이는 학생, 잔소리만 가득했던 학생, 혼이 나고도 기꺼이 다가와 미소 짓는 학생까지. 결국, 학교는 작은 사회이고, 그 사회 속에서 모든 선생님은 사람과 함께 최선을 다한 육아를 한다. 미혼이든 기혼이든, 자신의 아이가 있든 없든, 상관없이.

'그때 그 학생에게 그러지 말걸.' '이때는 이렇게 했으면 더 좋았을걸.' 1년 1년이 지나갈수록 되돌이켜 생각할 때마다 아쉬움이 남을 수많은 선생님을 위해 학교가 정말 좋은 초보 교사 첫해의 마음이 담긴 일상을 담았다. 이 감정마저도 삶과 권태로움 속에 치여 금방 증발해 버리지 않도록, 붙잡고 싶은 간절한 마음을 담아 유독 반짝이는 순간을 기록으로 남겼다.

부디 이 책이 열정만 있고 요령은 없어 서툴게 아이들을 대해서 아쉬웠던 초보 교사에게는 아쉬움을 달래주는 책으로, 요령이 생겼으나 시간의 흐름으로 인해 아이들에게 다가가기 어려워진 교사에게는 용기를 주는 책으로, 그리고 이제 막 교직의 길을 걷기 시작한 첫 마음을 오래 간직하고 싶은 나에게는 추억이 되는 책으로 남기를 바란다.

2023년 겨울

윤소훈

글 쓰는 직업

-글 쓰는 일 어떻게 구할까-

글 쓰는 직업

발　행 | 2021년 12월 02일
저　자 | 글로리
펴낸이 | 류혜진
펴낸곳 | 엘로이북
출판사등록 | 2021.07.02.(제2021-000029호)
주　소 | 세종시 새롬북로 14.
이메일 | sober23@naver.com
https://blog.naver.com/sober23

ISBN | 979-11-975242-5-7(03070)

글 쓰는 직업

글로리 지음

CONTENT

프롤로그. “당신에게 들려주고 싶은 이야기”

안녕하세요. 글 쓰는 사람, 글로리 입니다. 반갑습니다.

제가 이 책을 쓴 이유는 글 쓰는 직업을 갖고 싶어 하는 그 누군가, 꿈을 향해 나아가는 그 누군가에게 들려주고 싶은 이야기가 있기 때문입니다.

여러분은 글 쓰는 직업에 관심이 있기 때문에 이 책을 읽기 시작하셨겠지요? 그렇다면 잘하셨습니다. 이 책은, 글 쓰는 직업을 다양하게 경험한 저 글로리의 경험담이 생생하게 담겨 있거든요.(글 쓰는 직업을 희망하지 않으셔도, 포기하지 않고 나아가는 도전정신이 궁금하시면 읽어보세요. 꿈을 향해 나아가는 인생을 지켜보는 짜릿함이 있을 거예요.)

글 쓰는 직업을 갖고 싶은데 어떤 노력을 해야 할지 막막하시죠? 저도 그랬습니다. 늘, 맨 땅에 헤딩하는 기분으로 살았고 여전히 살아내는 중이거든요. 그래서 더 성실할 수 있었습니다. 잘 못하고, 잘 모르니까 우직하게 도전하는 것만이 최선이었거든요.

부디, 저의 경험이 담긴 이 책이 글 쓰는 직업을 갖고 싶은 여러분에게 도움이 되길 바랍니다.

쓰는 동안, 참 행복했습니다. 저의 그 좋은 마음이 여러분에게도 잘 전달되길 바랍니다. 진심으로.

2021년,

글로 도움이(**리**) 되고 싶은 사람, **글로리** 올림

chapter 1. 글을 쓰기로 결정했다

01. 글짓기 대회 수상, 그 후

아홉 살의 나는 원고지 앞에서 쩔쩔매고 있었다. 엄마에 대한 글짓기를 써오라는 숙제를 해야 했기 때문이다. 글짓기는 난생처음이었고, 원고지 쓰는 법도 제대로 몰라 머리만 쥐어짜고 있는데 대문을 열고 엄마가 들어왔다. 엄마는 머리에 땔감을 이고 있었고, 피곤한지 큰 눈이 더 커 보였다.

"엄마, 엄마에 대해 글짓기 써오라는 숙제가 있는데, 뭐라고 쓰지?"

엄마는 아궁이에 땔감을 넣으며 말없이 일에만 집중했다. 나는 그런 엄마를 바라보고만 있을 뿐이었다.

시골에 살면 늘 바쁘다. 때 되면 소, 돼지, 강아지 밥을 줘야 하고 계절마다 벼농사에 들이는 공이 필요했으며, 밭에서는 빨리 풀을 뽑아달라고 배추와 파, 무가 아우성대고 있었기 때문이다. 게다가 가을이면 추수에 김장, 감 따기, 벼 말리기, 고추 말리기, 메주 띄우기 등 참 할 일이 많았다.

그런 엄마에게 '엄마에 대한 글짓기 글감'을 묻는 것은 눈치 없는 행동이었다. 그러나 글짓기 숙제를 잘 해내고 싶었기에, 엄마를 보고 또 볼 수밖에 없었다. 자꾸 보면 뭐라고 쓸 말이 떠오를 것 같았기 때문이다.

엄마는 커다란 솥뚜껑을 열고 양동이 가득 물을 부어 넣었다. 세 양동이를 넣으니 솥이 가득 찼다. 엄마는 그제야 만족스러운 미소를 짓고 솥뚜껑을 닫았다. 그리고 아궁이에 불을 지피기 시작했다. 1990년대의 시골은 연탄보일러와 화목보일러가 병행되던 시대였다. 요즘 사람들은 일부러 캠핑 가서 불멍을 한다던데, 엄마는 그 시절부터 불멍의 매력을 한껏 느끼는 분이셨다. 불만 때면 넋 놓고 앉아 누가 불러도 모를 정도로 하염없이 바라보고 계셨기 때문이다.

엄마는 어두운 부엌 벽에 자리한 찬장에서 아침에 먹던 간장종지를 꺼내고, 반찬통에 담겨 있던 김치, 구운 김, 멸치볶음을 둥그런 상에 올린 뒤 수저와 젓가락 네 짝을 올렸다.

그날따라 논일이 많은지 아빠의 귀가가 많이 늦어지고 있었다. 남동생은 배고프다고 칭얼대다가 만화영화를 보며 잠이 들었고, 나는 여전히 원고지 앞에서 씨름을 하고 있었다. 누구에게 보여줘도 부끄럽지 않게 꾸며 쓸지, 부끄럽지만 있는 그대로 써야 할지 고민이 되었다.

"엄마에 대한 글짓기 뭐라고 쓰지? 엄마가 알려줘."

"뭘 뭐라고 써? 우리 엄마는 맨날 힘들게 일만 해요. 우리 엄마는 맨날 할머니가 갖다 준 옷만 입어요. 우리 엄마는 화장도 안 해요. 솔직하게 써. 솔직하게."

엄마의 솔직함에, 아홉 살의 어린 나는 눈만 끔뻑거렸다. 그리고 정말 엄마가 불러준 대로 썼다. 물론 마무리는 '그래도 나는 우리 엄마가 제일 좋다.'였다. 아직도 기억나는데, 당시 글짓기 제목은 '엄마의 손길'이었다. 오래전 일을 기억하는 이유는 단 하나, 은상을 받았기 때문이다. 글짓기로 받은 첫 상이었다. 상을 전해주신 담임선생님은 내 머리를 쓰다듬으며 말씀해주셨다.

"글을 참 솔직하게 잘 쓰는구나. 앞으로도 글짓기 열심히 해서 훌륭한 사람 되렴."

글짓기를 잘하면 훌륭한 사람이 될 수 있다는 선생님 말씀이 오랫동안 가슴에 남았다. 그때부터였다. 글을 잘 쓰고 싶어졌다.

'엄마의 손길'로 은상을 받아간 날, 부모님은 무척 기뻐해 주셨다. 심지어 상품으로 벽걸이 시계도 받았다. 벽걸이 시계에는 글짓기 대회 은상, 그리고 나의 이름 석 자가 적혀 있었다. 시계는 한옥집 마루 벽에 걸렸고, 우리 집을 오고 가는 동네 사람들에게 한 번씩 회자되는 자랑거리가 되었다. 부끄러움이 많은 성격이라 칭찬받을 때마다 무표정으로 일관했지만, 사실 기뻤다. 부모님에게 자랑스러운 딸이 된 것 같았기 때문이다.

그렇게 나는 글짓기를 좋아하기 시작했다. 때로는 친구들이 추천해서, 때로는 부끄러운 성격을 무릅쓰고 손을 들어 글짓기 대회에 출전했다. 이유는 단 하나, 칭찬받고 싶었다.

이후, 글짓기 대회에 출전해 크고 작은 상들을 받았다. 친구들과 친척들은 그런 나를 대단하다고 해줬고 커서 작가가 될 것이냐고 물었다. 어린 나는 감히 내가 '작가'가 될 수 없다고 생각했다. 내가 생각하는 작가는 세상에 빛이 되는 훌륭한 사람, 굉장히 똑똑한 사람이어야 가능하다고 믿었기 때문이다. 그리고 작가가 되면 불행한 인생을 살 것 같다고 느꼈다. 작가는, 골방에서 외롭게 글을 쓰다 폐병에 걸려 피를 토하다 죽는다는 프레임을 쓰고 있었기 때문이다.(적어도 우리 가족에게는) 결국 나는, 글쓰기는 하고 싶지만 작가는 되고 싶지 않은 사람으로 성장해나갔다.

02. 학보사 기자 활동을 통해 발견한 희망

"넌 국어국문학과나 문예창작학과 갈 줄 알았어."

중·고등학교 시절 친구를 만나면 자연스럽게 듣는 말이었다. 대한민국이 알아줄 정도로 글을 잘 쓰거나 큰 상을 받은 것은 아니었다. 그러나 친구들에게 나는 글을 잘 쓰는 아이였고, 당연히 국어국문학이나 문예창작학을 전공할 것이라는 생각을 하게 했다.

1997년 IMF 사태 이후, 대한민국 전 국민이 먹고사는 일을 가장 중요한 가치로 여기던 시절이 있었다. 그때는 당장 나라가 망할 수도 있다는 위기감이 있어 더 그랬던 것 같다. 뉴스에서는 외환위기로 '금 모으기' 운동을 하고, 4년제 대학을 졸업한 학생들이 취업이 되지 않아 다시 전문대학을 들어가 실용학문을 배운다는 기사들이 즐비했다. 1999년에 고3이었던 나는, 위험한 대한민국을 살아갈 사람으로서 먹고사는 일에 도움이 될 학과를 선택하는 것이 당연했다. 사실, 국문학을 전공하고 싶었지만 당시의 사회적 분위기상 국문학과 졸업 후 어떤 직업을 가질 수 있을지 상상이 되지 않았다. 국어 선생님이라는 직업을 떠올릴 수 있었으나, 선생님이라는 직업에 대해서는 회의적이었다. 결국, 나는 취업하기 좋은 학과를 택했다. 그것은 엄마의 바람이기도 했고 나의 선택이기도 했다.

그러나 관심도 없는 아니 그쪽 분야에 꿈도 없는 내가 대학에서 첫 수업을 듣고 매우 잘못된 선택이었음을 실감했다. 정말 너무 관심 없는 분야였기 때문이다. 아무리 취업이 잘 되는 학과라도 그 자리를 당장 박차고 나오고 싶었다.

하지만 내성적이고 소극적인 성격의 나는 아무 일탈 행동도 하지 않았다. 이미 거금을 들여 등록금을 냈고, 학교 근처 원룸 월세도 1년 치를 한꺼번에 치른 후였기 때문이다. 부모님의 피 같은 돈을 헛된 것으로 만들고 싶지 않았다. 아니, 사실 그 자리를 박차고 일어난 들 다른 방법이 없었기에 용기를 낼 수 없었다. 그렇게 시간이 흘렀다. 나는 그럭저럭 대학 생활에 적응했고, 학과가 내 인생을 좌우할 수는 없을 것이란 믿음으로 근근이 지내고 있었다.
그러던 어느 날, 학교 게시판에서 내 심장이 쿵쾅거리는 게시물을 발견했다.

'학보사 기자 채용 공고'

기자? 기자라면 글을 쓰는 사람이 아닌가? 나는 얼른 달려가 게

시판의 글을 꼼꼼히 읽었다. 읽는 동안 저절로 웃음이 나왔다. 마음잡고 대학생활할 수 있는 희망의 동아줄이 생긴 기분이었기 때문이다.

이후, 학보사 기자 채용 면접을 보았고 기사 작성 테스트까지 거쳐 당당히 합격했다. 합격 통보를 받았을 때 느꼈던 그 두근거림이 아직도 생생하다.

학보사 기자가 되어 학교 행사를 취재하고 기사를 쓰는 활동들은, 무기력한 나를 생동감 넘치게 만들었다. 진심으로 하고 싶어서 선택한 첫 용기였기 때문이다. 놀랍게도 학보사가 학교기관에 속해 있어 장학금도 받을 수 있었다. 그때부터였다. 어쩌면 글 쓰는 일로 돈을 벌 수도 있을 것이라는 믿음! 드라마 속 주인공처럼 골방에서 글만 쓰다 죽는 작가가 아니라, 글 써서 먹고 살 수도 있을 것이라는 믿음 말이다.

학과 공부보다 학보사 기자 활동에 더 집중했지만 시험기간만큼은 최선을 다해 평균 이상의 학점을 받았다. 어쨌든 대학 졸업장은 있어야 이력서라도 써보거나 편입을 할 수 있다는 생각이었다. 그 생각은 옳았다. 그때 대학을 그만뒀다면 학보사 기자 경험은 물론 국문과 편입도 하지 못했을 테니 말이다. 훗날 직장생활을 하며 국문과 3학년 편입을 했고 졸업도 했다. 그러나 국문과 졸업은 말 그대로 이력서를 낼 때 필요한 것이지 나의 글쓰기 실력에 큰 영향을 주지는 못했다. 글쓰기는 그야말로 개인의 노력이다.

어쨌든, 나는 학보사 기자 활동으로 희망을 잡았다. 글 써서 먹고 살 수 있다는 희망 말이다. 물론, 기자와 작가의 길은 다르다. 그러나 작가로서 어떤 글을 쓰고 싶다는 명확한 목표가 없었기에 기자로 활동하며 글 쓰는 일을 하는 것도 좋겠다는 결론을 내렸다.

삶 속에서 다가오는 기회를 잡느냐, 못 잡느냐는 개인의 선택이다. 그러나 할까 말까 망설이는 일이 있다면 그냥 하라는 누군가의 말이 떠오른다. 할까 말까 망설이는 것 자체가 이미 하고 싶다는 의미가 담겨 있기 때문이다.

혹, 할까 말까 망설이는 그 선택 앞에서 가슴이 두근거렸다면 무조건 하는 쪽으로 선택하길 권한다. 가슴이 두근거리는 일은 결과가 어떻든 인생을 즐겁게 만들어줄 수 있기 때문이다.

03. 꿈만 갖고 상경한 서울에서의 아찔한 추억

대학을 졸업하고 전화가 왔다. 의학용어를 가르쳐주셨던 교수님이셨다. 교수님은 부산에 있는 병원 원무과에 추천서를 써주시겠다고 했다. 개인적으로 의학용어가 재미있어 열심히 공부했기에 학점이 좋은 편이었고, 교수님 또한 그런 나를 좋게 봐주셨던 것 같아 기뻤다. 그러나,

"교수님, 저는 글 쓰는 일을 하고 싶은 꿈이 있어요. 그래서 병원 취업은 안 하려고요."

"글 쓰는 일? 그거 병원 일하면서도 할 수 있잖아?"

"아니에요. 저는 글 쓰는 일로 돈을 벌고 싶어요."

"글로리! 좋은 병원인데 다니면서 글 쓰는 일을 구해보는 것은 어때?"

"정말 감사하지만 그러고 싶지 않아요."

끝까지 고집을 부린 나는 병원에 취업하지 않고 시골집으로 내려갔다. 글 쓰는 일을 하고 싶지만 어떻게 시작해야 할지 몰라 빈둥대다가, 원룸 계약 만료와 동시에 다시 부모님이 계신 고향으로 돌아간 것이다. 대학을 졸업하고 취업도 하지 않은 내가 고향집에서 빈둥거리는 날들이 이어졌다. 버스를 타고 시내에 나가 이곳저곳을 돌아다니거나 시립도서관에 가서 하루 종일 책을 읽는 것이 일과였다.

그러던 어느 날, 약국 앞을 지나가는데 '전산 업무자 채용'이라는 글이 유리창에 붙어 있었다. 무슨 용기였는지 약국 문을 열고 들어가 아직 채용 전이시냐고 물었다. 약사님은 이력서를 써오라고 하셨고, 늘 갖고 다니던 이력서를 가방에서 꺼내 드렸다. 이력서를 보신 약사님은 최소 6개월 이상은 했으면 좋겠다고 하셨다. 그렇게 나는 약국에서의 아르바이트를 시작했다.

약국 일은 그리 어렵지 않았다. 처방전을 입력하거나 약사님이 약을 제조하실 때 보조해드리는 일이 주 업무였다. 하지만 손님들이 오고 갈 때마다 벌떡 일어나 미소로 응대하는 일이 어색하고 힘들었다. 그때 처음으로 서비스업 하시는 분들의 위대함을 알았다. 어떤 상황에서든, 누구에게든 웃어 주는 일이란 결코 쉬운 일이 아니었다.

그러던 어느 날, 학보사 선배님께서 전화를 주셨다. 선배님은 방송국 막내 구성작가로 일할 수 있는 기회가 있는데 해보겠냐고 했다. 마음이 콩닥콩닥 뛰었다. 구성작가는 생각해 본 적 없지만, 글 쓰는 일로 먹고살 수 있는 직업이었기 때문이다. 선배님은 일단 이력서를 이메일로 보내라고 했다. 그날 밤 나는, 학창 시절 받은 크고 작은 수상 이력을 정리해 메일로 보내드렸다.

다음 날, 선배님은 다시 전화를 주셨다. 언제든 일을 시작할 수 있게 서울로 올라올 수 있느냐고 물으셨다. 서울에서 지낼 곳이 없다고 하면 '다음에 더 좋은 기회가 있으면 연락할게'하고 마무리 지을 것 같았다. 그래서 무조건 갈 수 있다고 했다. 사실, 서울에는 연고가 없었다. 그러나 단지 그 이유 때문에 물러서고 싶지는 않았다. 학교 졸업은 했고, 확실한 직장도 없는 상태였기 때문이다.

약국에 출근한 나는 이제 일을 그만두어야겠다고 말씀드렸다. 약속대로 6개월은 지난 상태였다. 내 사정을 알고 계신 약사님은, 원하는 삶을 살아보라고 격려해주셨다. 문제는 부모님이었다. 병원에 입사할 줄 알았던 딸이 뜬금없이 시골 약국에서 아르바이트를 하더니 그마저도 그만두고 작가를 하겠단다. 그것도 낯선 서울에서 말이다. 엄마는 머리를 싸매고 누웠다. 서울에 있을 곳도 없고, 당장 서울에 집을 얻어 줄 형편도 못되는데 어딜 가느냐는 입장이셨다. 사춘기가 늦게 온 것일까? 젊은 패기였을까? 당장 서울에 가겠다며 집을 나섰다. 엄마와 말다툼하고 나온 딸을 쫓아온 아빠가 20만 원을 손에 쥐어 주셨다. 그렇게 나는 서울역에 도착했다.

기차를 타고 올 때까지만 해도, 일단 가면 어떻게든 방법이 생길 것이라는 생각이었다. 정 갈 곳이 없으면 찜질방에 가서라도 자겠다는 마음이었다. 그런데 막상 서울역에 도착하니, 한 발자국도 움직이기 어려웠다. 너무 낯설고 무서웠다.

눈물이 나려는 것을 꾹 참고 일단 선배님께 전화를 드렸다. 몇 번의 시도 끝에 전화를 받은 선배님은 있을 곳이 있느냐고 물었다. 그 질문에 대답하지 않았다. 대신 선배님은 서울에서 어떻게 살고 계신지 물어봤다. 혼자 산다고 하시면 하룻밤 신세를 질 마음이었다. 그러나 선배 또한 친구와 원룸에서 함께 살고 있다고 했다. 그래서 서울에 아는 친구와 함께 지내기로 했다고 말해버렸다. 선배님은 일단 대기하고 있으면 자리가 있을 때 연락 줄 테니 그때 일을 시작하자고 했다.

전화를 끊고 서울역에 우두커니 앉아 핸드폰만 만지작거렸다. 고향으로 돌아갈까 하는 마음도 들었다. 하지만 호기롭게 큰소리치고 집을 나왔기 때문에, 꼭 글 쓰는 일을 구해야 했다. 그리고 지금 돌아가면 처음으로 하고 싶어진 '글 쓰는 일'을 아주 오랫동안 포기할 것 같았다.

그때였다. 서울에서 여대를 다니고 있는 친구가 떠올랐다. 고등학교 시절 잠시 친했지만 대학에 간 이후 서로 연락을 하고 있지는 않았다. 어둑해지는 서울역에서 다른 좋은 방법이 없었다. 염치없지만 친구에게 전화를 걸었다.

친구와 이런저런 이야기를 나눴다. 결론은 '만나자'였다. 고맙게도 친구는 딱한 나를 자신의 자취방으로 데려가 줬다. 서울역에서 한참 동안 버스를 타고 도착한 그곳은, 화려한 빌딩이 아니라 작은 슈퍼에 딸려 있는 원룸이었다. 선배가 방송국 막내작가로 일하게 해 줄 것을 믿고 서울에 왔다고 하자, 친구는 혹시 다단계 아니냐고 걱정을 했다. 그리고 주인아주머니께서 친구와 같이 지내는 줄 알면 월세를 올릴 테니, 마주치면 잠깐 놀러 왔다는 말을 꼭 하라고 했다.

그렇게 친구 자취방에서의 생활이 시작되었다. 친구는 미술을 전공해서 매일 화방에 나갔고, 나는 친구도 없는 자취방에서 홀로 TV와 책을 보며 시간을 보냈다. 그리고 울리지 않는 핸드폰만 만지작거렸다. 그 지루한 시간이 일주일쯤 지났다. 어느덧 친구는 나를 걱정스럽게 바라보기 시작했고, 나 또한 언제까지 신세를 질 수 없을 것 같아 마음이 급해졌다. 재촉하는 것 같아 미안하지만, 용기를 내어 선배님께 전화를 드렸다. 선배님은 청천벽력 같은 이야기를 전해주었다.

"아휴, 미안해서 어쩌니? 네 이력서를 보여드렸더니 처음에는 자리가 생기면 막내작가로 일하게 해 주신다더니 갑자기 안 된다고 하시네."

하늘이 무너지는 것 같았다. 이유인 즉, 관련 전공이 아니고 구성작가로 일할 수 있는 아카데미를 수료한 것도 아니라 기회를 줄 수 없다는 것이었다. 전화를 끊고 피가 마르는 것 같았다. 세상이 다 원망스러웠다. 친구가 대놓고 눈치를 준 것은 아니지만, 괜히 친구 눈치가 보였다. 결론은 하나, 다시 고향으로 돌아가야 했다. 집에 돌아가면 어떤 표정을 짓고, 어떤 말을 해야 할지 도무지 떠오르지 않았다. 서울 어느 찜질방이라도 들어가 직접 일을 구해 볼까 생각도 했다. 그러나 서울 길을 하나도 모르는 것은 물론, 길치이기도 한 내게 서울은 너무 낯설고 무서운 곳이었다.

친구 집에서 지낸 지 8일째 되던 날, 친구는 약속이 있다고 나갔고 나는 홀로 친구의 원룸에 앉아 고통스러운 시간을 보내고 있었다. 그때였다. 전화가 왔다. 아빠였다. 받지 않았다. 전화를 받으면 당장이라도 울음이 터질 것 같았다. 문자가 왔다. 남동생이었다.

'할머니 돌아가셨어. 할머니 댁으로 와.'

 울음이 터져버렸다. 할머니가 돌아가신 것에 대한 슬픔 그리고 집으로 돌아갈 명분이 생겼다는 안도의 눈물이었다.

04. 비겁한 패배자

할머니 장례를 치르고, 혼자 계실 할아버지와 함께 지내겠다고 했다. 당시 부모님은 농사를 짓고 계셨고 할아버지는 작은 신도시에서 거주하고 계셨는데, 다들 혼자 남은 할아버지를 걱정했다. 그때 내가 할아버지와 함께 지내겠다고 선언한 것이다. 엄마 아빠는 물론 친척들도 모두 놀란 눈치였다. 칠십 넘으신 할아버지의 식사를 챙기며 지내겠다는 내 말에 모두 의아했던 것이다.

가족들은 서울로 돌아가지 않아도 되느냐고 물었다. 나는 얼버무렸다. 말은 안 하셨지만 대충 아셨을 것이다. 서울에서의 일이 좋지 않게 끝났음을.

할아버지는 어릴 때부터 나를 참 예뻐해 주셨다. 부모님이 결혼하고 7년 만에 생긴 아이라 많은 사람들의 관심과 사랑을 받았단다. 유교 사상을 가진 할아버지는 딸이라고 쳐다보지도 않으시다, 일주일 만에 손녀 바보가 되었단다. 부모님 말씀으로는 나를 유모차에 태워 동네 산책하기를 즐기셨고, 동네 슈퍼에서 원하는 것은 모두 사주실 정도로 귀여워해 주셨단다. 게다가 조용한 것을 좋아하는 할아버지와 나는 성향이 잘 맞았다. 할아버지는 TV 보는 것이 하루 일과 중 대부분이었는데, 나 또한 그 옆에서 TV 보기를 좋아했다. 말을 많이 하지 않지만 함께 TV를 보는 것만으로도 마음이 통했다. 그래서 그런지 할아버지는 한 번도 내게 앞으로 어떻게 살 거냐고 묻지 않으셨다.

그렇다고 언제까지나 놀 수 없었던 나는 국문학과 3학년 편입을 했고, 아르바이트도 시작했다. 그리고 '대전 MBC 방송아카데미' 수업도 듣기 시작했다. 서울에 있는 방송아카데미를 다니고 싶었지만 일단 대전에서 들을 수 있는 강좌가 있다는 것만으로도 감사했다. 물론 구성작가 과정이었다. 돌이켜보니 웃음이 난다. 애초에 구성작가가 되고 싶은 꿈도 없었으면서 방송국 막내작가로 들어가지 못한 것에 한이 맺혀 구성작가 과정 수업을 듣기 시작한 것이다. 다행히도 내게는 약국에서 6개월 동안 번 돈이 있었다. 차비 빼고는 거의 쓰지 않아 수강료를 감당하는데 큰 문제가 없었다.

일주일에 한 번, 대전으로 고속버스를 타고 나가 방송아카데미 수업을 들었다. 아카데미에서는 방송 프로그램을 만들 때 구성작가가 해야 하는 기획, 취재, 섭외, 큐시트 작성, 대본 작성 등을 배웠다. 당시 수업을 진행하는 작가님은 대전 MBC에서 오랫동안 구성작가로 활동하시고 한국예술종합대학교 대학원도 다니는 분이셨다. 무엇보다 대박은 작가님 댁이 할아버지 댁 근처 아파트라는 사실이었다. 덕분에 수업이 늦게 끝나면 작가님과 함께 작가님 차를 타고 집에 올 수 있었다. 작가님은 집으로 돌아오는 내내 나의 무수한 질문공세를 받으셔야 했다. 어디서 나온 용기인지 알 수 없으나,

구성작가로 거듭나고 싶다는 열정으로 많은 질문을 쏟아냈고 작가님은 한 공간에 있다는 이유만으로 다 받아주셔야 했다.

수업을 들을수록 언젠가는 다시 서울로 가야 한다는 생각을 했다. 어쨌든 서울로 가야 글 쓰는 일을 할 수 있는 기회가 많을 테니 말이다. 이번에는 조금 똑똑하게 준비하기로 했다. 국문과 편입, 방송아카데미 구성작가 과정, 그리고 서울에 원룸 하나라도 얻을 수 있는 돈을 벌기로 계획한 것이다. 2003년 당시, 서울에 사는 친구와 이야기해보니 4천만 원이면 작은 원룸 전세를 얻을 수 있다고 했다. 어차피 2년 동안 국문과 공부를 마쳐야 하고, 방송아카데미 수업도 들어야 하니, 2년 동안 어디든 들어가 일하면 돈을 모을 수 있을 것이라는 계산이었다.

할아버지 댁은 소도시지만 병원, 학원, 프랜차이즈 편의점, 빵집, 옷가게 등 없는 것이 없었다. 대학시절, 학보사 기자로 활동하며 장학금을 받았던 나는 따로 아르바이트를 한 경험이 없었다. 하지만 서울로 올라가서 지낼 돈을 모으려면, 아르바이트든 직장이든 가리지 않고 일을 해야 한다고 생각했다.

그때 내 눈에 띈 곳이 한의원이다. 은행에서 볼 일을 보고 여기저기 둘러보는데, 건물 벽에 '한의원 업무 보조 급구'라고 쓰여 있었다. 그 길로 한의원으로 들어가 이력서를 내밀었다. 운 좋게도 채용이 되었다.

한의원에서 내가 하는 일은 접수, 업무보조였다. 월급이 많지는 않지만 매주 수요일 방송아카데미 수업을 들으러 가도록 배려해주셨기에, 더 꼼꼼히 일했다. 문득, 의학용어를 가르쳐주시던 교수님이 떠올랐다. 부산에 있는 병원에 추천서를 써주시며 일 하면서 글 쓰는 일을 구해도 되지 않겠느냐고 하셨던 일, 말이다. 전공 분야니 적어도 한의원보다는 월급을 많이 받았을 것이라는 생각에 조금 후회가 되었다.

결국 나는 6개월 만에, 방송아카데미 구성작가 과정을 수료했다. 이제 수료도 했으니 대전 MBC, 대전 KBS에서 막내작가 채용 소식이 들리면 당장 이력서 들고 달려갈 심산이었다. 물론 서울에 있는 방송국 작가로 일하기 전 경력도 쌓고 돈도 벌겠다는 계획이었다.

수료하고 1주일이 지나서, 수업을 진행해주신 작가님께 전화가 왔다. 대전 MBC 라디오 클래식 방송에서 막내 작가를 뽑는 채용이 있는데, 동기 한 명과 나를 추천했으니 면접에 참여해보라는 전화였다. 라디오 작가도 참 매력 있겠다는 생각을 했다. 그런데 클래식이라니, 정말 생각지도 못한 분야였다. 나는 힙합과 록, 댄스 음악을 좋아하는 지극히 대중적인 사람이었다. 살면서 클래식 음악을 찾아들어본 적이 없었다. 참 막막했다. 작가님이 나를 추천해준 것은 너무나 고마운 일이었지만, 클래식 방송 작가는 상상도 해보지 못했다.

결국 나는 면접에 참여하지 않았다. 비겁하게 겁부터 먹고 도망친 것이다. 당시 할아버지 댁에 다니러 온 고모는 내 이야기를 듣고 무척이나 안타까워했다. 그렇게 원하는 일을 할 수 있는 기회가 생겼는데, 왜 가지 않았느냐고 말이다.

사실은 두려웠다. 그것은 서울에서 경험했던 '거절'에 대한 두려움이었다. '클래식 음악에 대해 전혀 모르는 당신이 과연 우리와 함께 일할 수 있을까? 탈락!' 이 소리를 들을까 지레 겁을 먹은 것이다.

한동안 무척 힘든 시간들을 보냈다. 밥을 먹어도, 잠을 자도, 친구와 수다를 떨어도 '비겁한 패배자'라는 단어가 머릿속을 맴돌았다.

05. 시사고발 프로그램 막내작가

라디오 구성작가로 일할 수 있었던 기회를 놓치고, 한동안 용기 없는 나 자신을 탓하며 지냈다. 함께 일하는 한의원 간호조무사 언니는 방송아카데미를 수료했으면 당장 방송국에 취직하는 것이냐고 물었다. 명확히 답해줄 길이 없어 참 답답했다.

그러던 어느 날, 대전 KBS 홈페이지를 둘러보다가 시사고발 프로그램에서 막내작가를 구한다는 공고가 떴다. 시사고발 프로그램……. 이 또한 생각해 본 적 없다. 내가 생각하는 구성작가로서의 방향은 재미있는 예능이나 '인간극장'과 같은 휴먼다큐 쪽이었다.

하지만 망설이거나 도망칠 수 없었다. 무조건 이력서를 냈다. 한의원 데스크에서 환자 분들 접수를 하는데, 핸드폰이 울렸다.

'042'로 시작하는 대전 지역 번호였다. 무조건 받아야 했다. 간호조무사 언니에게 급하게 볼 일이 있다며 접수를 부탁하고, 냅다 화장실로 뛰어갔다.

"글로리 씨? 맞나요?"

"네, 맞습니다."

"이력서 내주셔서 잘 받았어요. 대전 MBC 방송아카데미 수료하셨네요? 우리는 시사고발 프로그램인데 하실 수 있겠어요? 아마 현장 취재와 야근도 많고, 자료조사, 섭외까지 일이 꽤 많을 거예요."

짧은 순간, 참 머리가 복잡했다. '일이 많이 힘들어요? 아, 그럼 저는 안 하겠습니다.'라고 말할 뻔했다. 그러나 다가온 기회를 또 걷어찬다면 영원히 아르바이트만 하며 살아갈 것 같았다.

"네, 기회를 주시면 열심히 하겠습니다."

전화를 끊고 심장이 두근두근 뛰기 시작했다. 환자의 어깨에 붙여 놓은 부황 기구를 떼는데, 손이 덜덜 떨릴 정도였다.

퇴근 후, 할아버지와 저녁을 같이 먹고 내 방으로 들어왔다. 컴퓨터 앞에 앉아 다음 주 월요일부터 출근하게 될 대전 KBS 방송국 위치와 차편을 알아봤다. 할아버지 댁에서 버스를 두 번이나 갈아타야 했고, 왕복 버스 안에서 보내는 시간만 4시간이었다. 매우 힘든 경로였다. PD님 말처럼 현장 취재에 야근까지 하면 택시를 타고 집에 돌아와야 할 것이 뻔했다. 그렇지만 일단 시작하기로 했다. 라디오 클래식 프로그램 작가 채용 때처럼 잘 모르는 분야라고 물러서는 것은 너무나 비겁하게 느껴졌기 때문이다. 부딪히고 도전해야 할 시기였다. 결국 한의원을 그만두고 대전 KBS로 출근했다.

출근 첫날, 방송국 정문에 도착해 경비 아저씨께 오늘 첫 출근하는 막내작가라고 나를 소개했다. 경비아저씨는 어디론가 통화를 하더니 통과시켜줬다. 뭔가 대단한 곳에 취직한 느낌이 들어 어깨가 으쓱해졌다. 많은 책상들이 즐비한 사무실에 도착한 나는 메인작가, 담당 프로듀서와 인사를 나눴다. 그리고 두 달의 수습기간 후, 계속 일할 지를 결정하겠다는 이야기를 들었다. 두 달 동안 수습이라면, 일을 잘 못할 경우 그만둬야 할 수도 있다는 뜻이었다. 왕복 4시간을 버스 타고 다니며 업무에 집중할 수 있을지, 지금이라도 당장 방송국 근처에 원룸을 계약해 거주해야 하는 것은 아닌지 고민이 되었다. 당분간은 할아버지 댁에서 출퇴근하기로 결정했다. 월세로 집까지 얻었는데 수습기간 후 채용해주지 않으면 난감할 테니 말이다.

'그래, 일단 출근하자. 뭐라도 배우는 시간이 되겠지.' 하는 마음이었다. 9시까지 출근을 해야 하니, 적어도 5시 30분에 기상해 할아버지와 함께 새벽밥을 먹고 6시 40분 첫 차를 타야 했다. 몽롱한 상태로 버스를 탄 나는 '과연, 이게 잘하는 것일까'싶었다. 하지만 젊어서 고생은 사서라도 한다는 말이 있지 않은가. 20대! 일하기 딱 좋은 나이, 고생하기 딱 좋은 나이라는 마음으로 버텼다.

출근 후, 취재 대상에게 전화해 인터뷰 날짜와 시간을 조율하고 MC와 게스트의 대략적인 멘트를 대본으로 만들었다. 그 외에도 인터뷰에 사용할 질문, 현장 취재 시 챙겨야 할 물품, 대본 완료 후 인터뷰이와 프로듀서에게 최종 확인받기 등 일이 끝이 없었다.

힘들지만 재미있었다. 그러나 너무 피곤했다. 퇴근 후 집에 도착하면 밤 11시, 이것저것 정리하다 보면 새벽 2시에 잠이 들었다. 당시 국문과 편입 중이라 시험 준비도 해야 했다. 그리고 새벽 5시 30분에 기상하는 스케줄이었다. 겨우 3~4시간을 자고 출근해서 일하는 살인적인 스케줄을 소화해야 했던 것이다.

출근한 지 3주쯤 되었을 때는 버스에서 졸다가, 세 정거장 빨리 내린 적도 있었다. 늦은 밤이라 버스도 막차였다. 결국 택시를 타고 집에 도착했다. 후회하지 않기 위해 발버둥 치는 내가 측은하면서도 자랑스러운 시절이었다. 그러나 힘들고 외로운 것은 부인할 수 없었다. 심지어 그 누구에게 말할 수도, 도와달라고 할 수도 없었다. 교수님 추천서까지 거절하고 엉뚱한 곳에서 뭐 하냐고, 말 한마디로 꺾어버릴 것 같았기 때문이다. 쓸데없는 짓 하지 말고 안정적인 곳으로 가라고 말이다.

난생처음 하고 싶은 일이 생겼는데 그것을 함부로 버리고 싶지 않았다. 그리고 먼 훗날 '나는 글 쓰는 사람이 되고 싶었지'하며 후회하고 싶지 않았다. 그래서 무리인 줄 알면서도 도전했다.

그러나 잠을 못 자 몽롱한 상태로 버티는 것도 쉽지 않았다. 3주를 버텼지만 그 이상을 버티면 '나'를 잃을 것 같았다. 직감적으로 나의 건강과 안전이 보장되지 않을 것을 느낀 것이다. 결국, 도전한 것에 의미를 두고 가던 길을 멈췄다. 극도의 피로로 코피가 났고, 잠을 못 자고 몽롱한 상태로 일하느라 업무 효율성도 떨어진 상태였다.

그렇게 구성작가 도전기는 3주 만에 막을 내렸다. 아쉬움이 컸지만 이전처럼 패배감에 잠식당하지는 않았다. 적어도 도전을 해봤기 때문이다.

구성작가를 그만둔 날, 나는 조금 울었다. 도대체 나는 되는 일이 하나도 없는 것 같았기 때문이다.

06. 드라마 공모전 1차 합격

"드라마 작가?"

전화 통화하던 친구는 나의 야심 찬 계획을 듣고 폭소를 터트렸다. 이해할 수 있다. 뜬금없이 드라마 작가를 한다니 그럴 만도 했다. 친한 친구마저 폭소하는데, 부모님은 오죽할까 싶어 말도 꺼내지 않았다. 부모님은 할아버지 댁에 반찬을 드리러 오셨다가 나와 마주쳐도, 앞으로 어떻게 살아갈 것인지 묻지 않고 애써 외면해주셨다.

드라마 작가에 대한 관심은, 방송아카데미를 다니던 시절부터 있었다. 다만 방송아카데미 드라마 작가 과정이 서울에만 있어, 원룸 전세 값이라도 벌면 도전할 심산이었다. 그리고 현실적으로 드라마 작가가 되는 것은 하늘의 별 따기와 같았다. 오로지 공모전에 당선

되어야만 할 수 있는 일이었기 때문이다. 그런데도 포기가 되지 않았다. 글 쓰는 일은 참 묘하다. 신념인지 고집인지 알 수 없을 정도로 매달리게 만들기 때문이다.

하지만 노력하면 해낼 수 있다는 자신감이 있었다. 어릴 때부터 툭하면 울 정도로 감수성이 있었고 다른 사람의 심리도 꽤 잘 읽는 편이라고 자신했다.(물론 순전히 내 생각이다.)

또 다음 포털 사이트 커뮤니티를 통해 구한 드라마 대본을 보며, 이 정도는 나도 할 수 있을 것 같다는 자신감이 있었다. 드라마를 보면서는 주인공의 다음 대사, 극의 흐름 등을 제법 맞췄고 마지막 회가 어떻게 마무리될지 예측도 잘 해냈다. 무엇보다 드라마 작가는 '내 글'을 쓰면서 돈도 벌 수 있다는 장점이 크게 다가왔다. 내가 쓴 드라마를 보며 사람들이 감동을 받고 일상을 더 긍정적으로 살아가길 바라는 마음도 있었다. 그것은 작가가 할 수 있는 막강한 영향력이었으므로 꼭 해내고 싶었다.

당시 다음 카페에 드라마 작가 관련 카페가 있었다. 방송아카데미 다니던 시절, 우연히 검색하다가 가입한 곳으로 심심할 때마다 들어가 대본을 읽었다. 누군가 필사 한 대본도 있었고, 작가가 무료로 배포한 대본도 있었다. 대본을 읽으며 드라마 대본 쓰는 틀을 어느 정도 익혔고, KBS 드라마 극본 공모전 일정 정보도 얻었다.

공모전까지는 두 달 정도의 시간이 있었다. 하지만 나는 드라마 대본을 한 번도 써 본 적이 없었다. 포기할까 고민도 했지만, 도전도 하지 않고 포기한 이후의 괴로움을 잘 알기에 일단 하자고 결심했다.

단편 드라마 대본은 A4 35페이지 이내에 한글 문서 11포인트, 작의, 등장인물 소개, 주요 줄거리 요약, 약 70 씬 정도의 대본을 써야 한다. 사실 드라마를 처음 써보아서 약간의 실수도 있었을 것이다. 하지만 나의 첫 드라마 공모전 도전은 50% 성공했다. 1차 합격을 한 것이다.

"네? 어디시라고요?"

"KBS 드라마 극본 공모전에 응모하셨죠? 1차 합격하셨어요. 이메일로 원본 파일 보내주세요."

그렇다. 지금은 1차 합격하면 극본 하나를 더 내서 평가하는데 약 15년 전만 해도 원본 파일을 메일로 보내야 했다. 당시 내 기억으로는 한글문서로 쓴 극본을 출력해 우체국에 가서 붙였었다. 그래서 1차 합격한 사람들에게 전화해 원본 파일을 이메일로 보내라는 전화를 돌렸던 것 같다. 너무 오래전이라 사실 기억이 가물가물하다.

결과는? 떨어졌다. 꽤 그럴듯하게 썼으나 기본기가 부족한 작품이었다. 알지만 기분은 좋았다. 1차 합격 통보가 아주 재능이 없는 것은 아니니 계속 도전해보라는 것처럼 느껴졌기 때문이다. 어쩌면 KBS 드라마 극본 공모전 1차 합격은 초심자의 행운이었을지도 모르겠다. (올해도 나는 KBS와 JTBC 드라마 극본 공모전에 도전했다. 떨어졌다. 또 도전할 거다.)

chapter 2. 글 쓰는 일, 어떻게 구할까

01. 글 공장, 생산 작가

시사고발 프로그램 구성작가로서의 도전을 실패하고, 다른 글 쓰는 직업을 구하기 전까지 놀 수 없어 편의점 아르바이트를 잠깐 했다. 잠깐 하겠다는 마음이라 늘 취업 사이트를 살피는 습관을 놓지 않았다. 글 쓰는 일을 찾기 위해서였다. 할아버지 댁은 신도시지만 큰 도시가 아니라 역시 일할 곳이 별로 없었다. 그래서 그나마 가까운 대전 지역에 주로 지원했다. 할아버지 댁에서 거주하며 출퇴근할 마음이었다. 그러나 서울처럼 글 쓰는 일을 구할 수 있는 기업은 많지 않았다. 그래서 더 서울로 가고 싶었지만, 현실적으로 서울에 거주할 곳이 없었다. 물론 집을 얻을 수 있는 돈도 없었다.

다행히도 대전에 있는 회사에서 면접 제의 전화가 왔다. 어떻게든 채용이 되고 싶었던 나는 수상 경력을 내세운 이력서를 들고 갔다. 면접 때 팀장님을 처음 만났다. 팀장님은 나를 호의적으로 바라봐

주셨다.

"글로리 씨는 우리 회사에 왜 지원하셨어요?"

"글 쓰는 일을 할 수 있는 회사라는 것에 매력을 느껴 지원했습니다."

"글을 쓰긴 쓰는데, 글로리 씨가 생각했던 글이 아닐 수도 있어요. 우리 회사는 운세 DB를 리라이팅 하는 회사거든요. 할 수 있겠어요?"

생각지도 못한 일이었다. 면접 보러 오기 전, 최소한 어떤 글을 쓰는 곳인지 알아보고나 올 걸 후회가 되었다. 하지만 보험 드는 심정으로 할 수 있다고 답했다. 채용이 안 될 수도 있고, 조금 더 생각해 볼 시간을 버는 것도 좋겠다고 판단한 것이다.

다행히도 채용이 되어 당장 다음 주 월요일부터 출근을 하라고 했다. 참으로 화끈한 채용이었다. 순간 감사하다는 인사가 저절로 나왔다. 그냥 좋았다. 글 쓰는 일을 할 수 있는 회사에 채용된 것만으로도 세상을 다 가진 기분이었다. 순간 내가 그 일을 잘할 수 있을지의 고민은 전혀 없었다. 그리고 애써 내 마음을 다독였다. '적어도 편의점보다는 월급이 많잖아? 그리고 글 쓰는 일이니, 더 마음에 드는 일을 구할 때 좋은 경력이 될 거야. 기회를 놓치지 마. 해보자.'라고 말이다.

회사 근처에 집을 구했다. 1년 전 대전 KBS 방송국 막내작가로 일할 때도 거주지를 회사 근처로 옮겼다면, 이 회사로 오는 일은 없었을지도 모르겠다는 생각이 들었다. 후회의 마음이 올라오려는데 꾹 눌렀다. 하지만 그때는 수습기간 후 어찌 될지 모르는 상황이었고, 지금은 처음부터 정규직으로 채용되었다. 그래서 회사 근처에 집을 구하는데 주저하지 않을 수 있었다.

일은 할 만했다. 모바일 콘텐츠의 특성에 맞게 젊은 사람들이 쉽게 읽을 수 있는 글, 모바일 환경에서 가독성 좋게 읽히는 글이 되도록 고쳐주면 되는 일이었다. 다만, 주어진 날까지 방대한 분량의 DB를 고치려니 스트레스가 되었다. 또 내용 자체가 전혀 관심 없는 분야라 지루했다. 그러나 지루한 마음을 갖는 것 자체가 자만이라 여겨져 더 열심히 일했다. 글 쓰는 일을 하면 좋겠다는 간절한 바람이 이루어졌으니 말이다.

모바일 회사는 개발자, 기획자, 작가, 디자이너가 함께 협업한 결과물을 통신회사에 제안해 서비스되도록 만들어야 했다. 물론 유료결제가 이루어질 수 있는 퀄리티의 글과 그림을 준비하는 것이 기본이었다. 혹 많은 수익으로 연결되지 않으면 글과 그림을 다시 리뉴얼해야 했다. 고쳤던 글을 또 고치는 일들이 반복되니, 마치 글 공장에 온 것처럼 힘들었다. 생각은 짧게, 손은 빨리 움직여야 했다. 하루라도 빨리 더 젊은 감각의 글로 서비스해야 수익으로 연결되었기 때문이다. 그곳에서 같은 처지의 작가 지망생 분들을 만났다. 대부분 문예창작학이나 국문학을 전공했고 최종 목표는 자신만의 글을 쓰는 작가가 꿈인 사람들이었다. 물론 그들이 집에서 홀로 습작을 했는지는 모르겠다. 확실한 것은 나는 습작을 전혀 하지 않았다는 사실이다. 하루 종일 앉아 공장에서 글을 찍어내듯 글을 쓰고 집으로 돌아오면, 컴퓨터 앞에 앉는 것조차 싫었다. 인간은 망각의 동물이라 했던가? 나는 드라마 극본 공모전에 다시 도전하겠다는 생각을 서서히 잊어가고 있었다.

01-1. 모바일 회사 콘텐츠 작가 일을 구할 수 있었던 이유

내가 모바일 회사 콘텐츠 작가 일을 구할 수 있었던 이유는,

▶ 앞뒤 따지지 않는 도전정신 덕분이었다.

글 쓰는 일을 구하는 것에 간절했던 만큼, 매일 취업 사이트에 들어가 지원을 했다. 당연히 글 쓰는 일과 조금이라도 연관된 곳이면 '지원' 버튼을 눌렀다. 수많은 지원 완료 끝에 면접의 기회를 가졌다. 구체적으로 어떤 글을 쓰는지 알아보지도 않고 지원한 것은 실수였다. 그것은 어쩌면 불행 중 다행인지도 모른다. 채용공고를 꼼꼼히 보고 운세 DB를 리라이팅 하는 일이라는 것을 알았다면 지원을 망설였을 테니 말이다. 당시, 나는 글 쓰는 일에 대한 경력이 없는 사람이었다. 그런데도 채용이 된 것은, '운세 리라이팅'이라는 글쓰기 자체가 워낙 만만치 않은 일이었기 때문일 것이다. 만만치 않다는 것은, 선호하지 않는 글이라 정신적으로 힘들다는 뜻을 내포한다. 그런데도 내가 그 일을 한 것은, 경력을 쌓기 위해서였다. 내게는 글 쓰는 일의 경력이 필요했다. 작가에게 스펙은 경험이기 때문이다. 아무튼, 앞뒤 따지지 않고 도전한 태도 덕분에 1년의 작가 경력을 쌓을 수 있었다.

▶ 학보사 기자 경험과 국어국문학과 편입학 덕분이었다.

모바일 콘텐츠 작가 면접을 보러 갈 당시, 받았던 질문이 학보사 기자 경험과 국어국문학과 편입에 대한 질문이었다. 무모한 도전정신이 면접까지 가게 했다면, 학보사 기자 경험과 국어국문학과 편입 상태인 것이 채용 요인이었을 것이다.

만약, 학보사 기자 경험을 하지 않았다면 어땠을까? 어쩌면 나는 글 쓰는 일을 하는 사람이 되겠다는 꿈을 포기했을지도 모른다. 학과 친구들 모두 전공에 집중하며 취업을 하는 분위기인데, 나 혼자

작가의 꿈을 지켜내기 힘들었을 것이다. 하지만 포기하지 않고 학보사 기자 활동을 해서 작가의 꿈을 잊지 않을 수 있었다. 사람은 주변 환경의 영향을 많이 받는다. 다행히도 학보사에서 만난 선배님 중 한 분이 방송작가의 꿈을 키웠고, 졸업 후 그 꿈을 이루는 것을 보았다. 그래서 나도 할 수 있다는 마음을 가질 수 있었고 졸업 후에도 작가의 꿈을 향해 나아갈 수 있었다.

혹, 작가의 꿈과 다소 먼 곳에 위치하고 있는가? 작가의 꿈을 꼭 이루고 싶다면 온라인이든, 오프라인이든 같은 꿈을 가진 사람들이 모인 곳으로 가자. 작은 끈이라도 놓지 않고 있으면, 기회는 언제든 온다.

02. 글 쓰는 일이 아니라면 차라리 백수

작은 원룸에서 종일 취업 사이트를 뒤지는 20대 청춘은 마음이 급했다. 그래서 모든 취업사이트에 들어가 채용 소식을 샅샅이 뒤졌다. 대전 지역에서는 당장 출퇴근할 수 있는 일을, 서울에서는 재택으로 할 수 있는 일을 찾았다. 취업 사이트를 매일 들어가 샅샅이 살피는 작업은 하루 일과의 가장 중요한 부분이었다. 다달이 들어가야 할 공과금과 월급의 70%를 차지하는 적금 때문에 재취업이 급했다.

사실, 운세 DB 리라이팅 일을 1년 만에 그만두게 될 줄은 몰랐다. 공장에서 물건을 생산하듯 글을 쓰는 과정이 힘들었지만, 글 쓰는 일이라 할만했다. 훗날 서울에 가서 일을 구할 때 이 또한 경력이 될 수 있을 것이라는 생각도 했다. 그래서 서울 원룸 전세값이라도 마련할 동안은 성실히 다닐 계획이었다. 그런데 일 년 만에 퇴사를 권유받을 줄은 몰랐다. 굳이 나의 잘못을 말하자면, 사장님 뜻대로 워크숍을 갔어야 했다는 것이다(당시 나는 국문과 졸업반 마지막 기말고사 때문에 해외 워크숍을 갈 수 없었다).

아무 말 안 하고 워크숍을 갔더라면 연봉협상 중 '함께 일하지 못할 것 같다'는 말은 듣지 않았을 것이다. 덕분에 사회와 조직을 배우는 소중한 기회였다. 퇴직 후, 몇 개 안 되는 짐을 챙겨 나오는데 '이 또한 훗날 내 글의 재료가 되겠다'는 생각을 했더랬다.

현실은 냉혹했다. 지원할만한 일자리가 거의 없었다. 물론 젊은 나이에 눈높이를 낮추자면 무엇이든 하겠지만, 인생 항로를 생각지도 못한 방향으로 향하게 하고 싶지는 않았다. 글 쓰는 일을 하겠다는 인생 항로 말이다.

백수로 지낸 지 4개월이 흘렀다. 적금은 진즉에 멈췄고, 최소한의 생활비만 사용하며 겨우 버티고 있었다. 적금은 절대 깨고 싶지 않아 퇴사 전 받았던 마지막 월급을 아껴 쓰는 상황이었다. 무슨 똥고집인지 글 쓰는 일이 아니면 하고 싶지 않았다. 이십 대 중반인데 뜬금없이 아르바이트를 할 수도 없었다. 어떻게든 커리어에 도움이 될 만한 일을 찾는 것이 현명한 선택이라 생각했다.

그러다 통장 잔고를 봤는데 공과금으로 나갈 돈 10만 원이 모자랐다. 프리랜서로 단기간 해놓은 일이 있었는데, 돈은 2주일 뒤에나 받을 수 있었다. 그렇다고 적금을 깰 수는 없었다. 그 돈을 깨는 순간, 야금야금 다 써버릴 것 같았기 때문이다. 은행에 묶어 놓은 적금은 백수가 지켜내야 할 마지노선이었다.

돈을 빌리기로 결심했다. 그런데 아무리 생각해도 돈 빌려달라고 말할 사람이 없었다. 함께 어울리던 친구들 얼굴을 떠올려봤다. 도저히 엄두가 안 났다. 10만 원을 빌려달라고 말하려니 자존심이 상했다. 그때 남동생이 떠올랐다. 당시 남동생은 방위산업체에서 군 복무를 하고 있어 돈을 벌고 있었다. 쉽지 않았지만 그 누구보다 편하게 대할 수 있는 상대가 동생이었다. 내 사정을 알고 있었을까? 동생은 흔쾌히 10만 원을 송금해줬다.

"돈 들어올 데가 있는데 2주 후야. 적금을 깨면 되지만 이자도 아깝고 해서."

"천천히 줘. 안 줘도 되고."

이런 게 핏줄인가? 징그럽게 싸우며 큰 동생인데, 마치 내 사정을 알기라도 하는 것처럼 이야기해주니 참 고마웠다.

백수로 지낸 지 5개월째 되었을 때, 나는 작은 원룸에서 밤새 동화와 드라마 극본을 썼고 다음 날 12시쯤 일어나 취업 사이트를 뒤졌다. 친구도, 가족도 만나지 않았다. 친구를 만나 돈 쓰는 게 싫었고, 가족들 앞에서 한심한 백수로 보이는 게 싫었다. 당시 나는 자격지심으로 똘똘 뭉쳐 있었다. 그리고 그 어느 때보다 움츠려 있었다. 뭐 대단한 인생을 살겠다고 원룸에서 고군분투하고 있는지 답답한 마음도 들었다.

당시 난생처음 동화를 썼다. 왜인지 모르겠지만 동화가 쓰고 싶었다. 동화의 주제는 따듯한 희망이었다. 어쩌면 그 누구보다 희망을 찾고 싶었을 나 자신을 위로하는 동화였는지도 모르겠다. 결국 그 동화는 작은 상을 수상했다. 수상 소식을 듣던 날, 온갖 폭죽과 환호가 나를 향해 쏟아지는 것 같았다. 학창 시절 받던 수많은 글짓기상과는 또 다른 감동이었다. 수상 덕분에 나는 다시 힘을 얻었다. 재능도 없는데 매달리는 것이 아니니 힘내라고, 누군가 위로해 주는 기분이었다.

02-1. 글 쓰는 일만 하겠다는 고집에 관한 소회

나는 6개월의 백수 기간을 보냈다. 돌이켜보면 짧은 시간이다. 그러나 그때의 내게 6개월은 60년처럼 길었다. 혹, 나와 같은 고민을 하는 작가 지망생이 있다면 좋은 예가 되길 바라며 옳다, 무모하다를 생각해 보았다.

▶글 쓰는 일이 아니라면 백수의 길을 선택한 것은 옳다.

옳다. 당장 마음이 불안해서 아무 일이나 했다면, 글 쓰는 일을 지금까지 하지 못했을 것이다. 20대 중반의 나이에 방향을 틀어 다른 일을 하다가, 다시 글 쓰는 일로 돌아가기까지가 쉽지 않았을 것이다.

첫 대학에서 오로지 취업이 잘 되는 학과에 입학했더랬다. 첫 수업을 듣고 원하던 방향이 아님을 깨닫고 피눈물 나게 후회했다. 그러나 거기서 그만두지 못했다. 일단 졸업이라도 하는 것이 좋을 것이라 생각한 것이다. 졸업 후에는 전공과 관련된 곳으로 취업의 기회가 열리기도 했다. 그때 그 기회를 버리고 글 쓰는 일로 전향했을 때, 많은 시행착오를 겪었다. 심지어 원하는 구성작가의 기회가 왔을 때, 담당자가 이력서도 보지 않고 관련 전공자가 아니라 안 된다고 했다. 이러한 경험들은, 글 쓰는 일이 아니면 하지 않겠다는 결정을 내리는데 결정적인 역할을 했다.

당장 돈 버는 것을 중요하게 생각해서 아무 선택이나 하면, 글 쓰는 일로 돌아가기까지 많은 시간과 어려움이 있을 것을 안 것이다. 그래서 글 쓰는 일이 아니면 백수의 길을 선택한 것은 옳았다.

▶글 쓰는 일이 아니라면 백수의 길을 선택한 것은 무모하다.

무모하다. 글 쓰는 일만 하겠다는 마음으로 백수를 선택한 것까지는 용기 있다. 그런데 6개월이 아니라 1년, 2년 넘어서까지 글 쓰는 일을 구하지 못할 경우도 생각해야 한다.

당장 관리비를 낼 수 없을 지경까지 이르렀다면, 벌떡 일어나 아르바이트라도 해야 한다. 생활이 되어야 꿈을 꿀 수 있다. 당장 밥 먹을 돈도 없는데 취업 사이트나 뒤지며 꿈만 쫓는 것은 무모하다.

다행히도 나는 6개월 만에 백수를 탈출하고 글 쓰는 일을 찾았다. 그런데 운이 나빠서 계속 글 쓰는 일을 구하지 못했다면, 몸도 마음도 피폐해졌을 것이다. 생활비에 빨간불이 들어왔다면 어떤 일이든 해서 생활을 유지해야 한다. 쓸 수 있는 힘(생활비)을 비축해야, 더 오래 쓸 수 있으니까.

03. 연구소 사보 및 웹진 기자

백수로 지낸 지 6개월, 한 통의 전화가 왔다.

"글로리 씨? 웹진 및 사보 기자 채용 건으로 연락드렸는데요. 다음 주 월요일 11시에 면접 가능하신가요?"

드디어 연락이 왔다.

"□□ 연구소로 2시까지 가시면 안내받으실 수 있을 거예요. 저희는 프로그램 만드는 A회사인데 □□ 연구소 입찰을 받았어요. 그런데 계약직으로 일할 수 있는 인재를 추천해달라는 요청에 따라 채용공고를 냈고, 저희 회사에서는 글로리 씨를 뽑았습니다. 그러니까 글로리 씨를 연구소 홍보팀의 웹진 및 사보 기자로 파견하는 것입니다."

계약직은 무엇이고? 파견은 무엇인지? 처음 접해 보는 시스템이라 이해가 잘 되지 않았다. 그러나 글 쓰는 일로 면접이 잡혔다는 것 자체로 기뻤다. 당시 나는 웹진과 사보에 대해 전혀 모르는 상태였다. 채용담당자의 말로는 면접 후 간단한 테스트가 있을 예정이니 연구소 홈페이지에 들어가 대략적인 공부를 하고 가라고 했다.

홈페이지에 들어가 보았다. 꽤 오랫동안 사보를 만들어왔고, 사보의 내용들은 직원 및 연구자들의 인터뷰, 진행하는 연구 성과 등이 대부분이었다. 문득 자신이 없어졌다. 연구소라면 똑똑한 사람들만 모여 있을 텐데, 과연 내가 그분들을 인터뷰하고 정리해 글을 쓸 수 있을지 의문이었다. 가진 것이라고는 글 쓰는 일을 하며 살겠다는 열정뿐인 나였다.

그러나 백수로 지낸 지 6개월이나 되었고, 서울에 있는 방송아카데미를 다니겠다는 꿈을 이루려면 돈을 벌어야 했다. 더 물러설 곳도, 망설일 시간도 없었다.

면접 보는 날, 나 외에도 여자분 네 명이 더 있었다. 한꺼번에 면접실로 들어갔고 순서대로 질문이 던져지기 시작했다. 네 명의 면접관들이 계셨는데 대부분 자신이 더 관심 있는 면접자에게 질문을 했다. 나에게도 질문이 들어왔다.

"글로리 씨는 모바일 콘텐츠 회사에서 작가로 일했다고 하는데, 그 경험이 우리 연구소 웹진을 만드는데 도움이 될 것이라 생각하나요?

정신 바짝 차리고 질문에 대한 답변을 시작했다.

"모바일 콘텐츠는 소비자들의 니즈를 고려하여 작성하는 글입니다. 때문에 시대의 흐름과 트렌드, 이용하는 소비자들의 연령도 생각해서 콘텐츠를 작성했습니다. 이는, 연구소가 지향하는 이미지를 고려해 글을 작성하고 콘텐츠를 게시하는데 도움이 될 것입니다."

순간, 질문하신 면접관의 표정을 통해 내 답변이 꽤 마음에 드셨음을 알 수 있었다. 네 명의 면접관 중 오직 그 면접관만 내게 질문을 주셨다. 면접이 끝나고 간단한 시험이 있다며 시험지를 나눠주셨다. 시험지를 보고 깜짝 놀랐다. 6개의 질문 중 자신 있게 답할 수 있는 문제는 단 두 문제였다. 대부분 정부 시책 및 기관에 대해 묻는 상식 문제였다. 그분들에게는 상식일지언정 내게는 상식이 아니었다. 어떤 면접자는 교육대학원생, 어떤 면접자는 다른 연구소 홍보팀 근무 경험을 갖고 있었다. 그래서인지 모두들 볼펜이 날아갈 정도로 답을 쓰고 있었다. 주어진 30분 동안 내가 할 수 있는 것이라고는 참담한 패배감을 느끼는 것뿐이었다. 그러나 여기까지 와서 빈 시험지를 내고 가는 것도 나를 뽑아준 A회사에 대한 예의가 아닌 것 같았다. 그래서 모르는 질문 4개의 답란에 이렇게 썼다.

'죄송합니다. 잘 모르겠습니다. 그럼에도 불구하고 함께 할 수 있는 기회를 주신다면 열심히 노력하며 성장하겠습니다.'

염치없는 답을 써서 내고, 집으로 돌아왔다. 당연히 떨어질 것이라 예상했다. 대단한 스펙을 가진 지원자들 중 한 사람이 될 것이라 생각되었다. 어렵게 구한 기회마저 날려버리고 온 것 같아 자책이 되었다. 그날도 나는 취업 사이트를 뒤졌다. 누군가 취미가 무엇이냐고 묻는다면 '취업사이트 보기'라고 해도 과언이 아닐 정도였다. 불안한 마음이 들수록 더 살 길을 찾아 헤매는 내 모습은 지금 생각해도 참 짠하다.

2주일 후, 전화가 왔다. A회사였다.

"글로리 씨 잘 지내셨죠? 많은 회의 끝에 글로리 씨와 함께 일하기로 했어요. 축하드립니다."

오 마이 갓! 전혀 예상치 못한 상황이었다. 수도권 대학을 나온 것도 아니고 엄청 좋은 스펙을 가진 것도 아닌 내가 채용될 줄은 몰랐다. 기대하지 않은 결과를 맞이하고 당시 종교도 없던 나는 하나님께 감사를 드렸다. 믿을 수 없는 이 상황은 내 실력이 아니라 골골거리는 20대 백수를 불쌍히 여긴 신의 도움이라고 밖에 말할 수 없었다.

첫 출근을 하고, 웹진을 어떻게 만들 것인지 회의를 했다. 진땀나는 상황이었다. 출근 첫날부터 홍보팀 베테랑 사원들과 함께 웹진을 어떻게 만들 것인지에 대해 회의를 할 줄 몰랐다. 홍보팀 직원 분들은 모두 내 얼굴만 바라봤다. 모바일 콘텐츠 회사에서 작가로 일했다면 이 정도 기획은 잘 해낼 수 있을 것이라는 믿음이 눈에 보일 정도였다.

당장이라도 '이 일은 제 능력으로 안 될 것 같습니다. 사람 잘못 뽑으셨네요. 안녕히 계세요.'하고 나오고 싶었다. 결국 첫 회의는 횡설수설하다가 마무리되었다. 다행히도 처음이니 그러려니 하고 이해해주시는 분위기였다. 회의가 끝나고 화장실로 달려간 나는 가슴이 두근거리고 얼굴이 빨개졌다. 넘어야 할 또 하나의 산 앞에 직면했음을 느꼈다.

그날 밤, 회의를 통해 나온 대략적인 기획을 바탕으로 자료조사를 하고 A회사의 웹디자이너와 함께 웹진 홈페이지의 대문과 콘텐츠 콘셉트를 잡았다. 처음 해보는 일이라 무척 떨렸다. 연구소에서도 웹진을 처음 시도하는 터라 기대가 컸다. 그 기대를 채워드리려니 초반 많은 회의와 소통, 갈등의 시간이 있었다. 특히 메인화면을 디자인하는 과정에서 A회사 디자이너와 연구소 홍보팀 팀장님의 이견을 조율하는 과정이 힘들었다. 양측 모두 각자의 의견에 타당한 이유가 분명했기 때문이다. 문득, 이것이 나의 역할인가 싶었다. A회사와 연구소 사이에서 이견을 잘 조율해내라는 역할 말이다.

무척 지난한 과정들이 지속되었지만, 그래도 좋았다. 글 쓰는 일로 월급을 받았고 그 돈으로 나의 생계와 미래를 위한 저축이 가능했기 때문이다.

연구소에서 근무하는 동안, 전문 연구 분야에 열정을 발휘하는 분들을 만날 수 있어 감사했다. 그분들을 통해, 세상 어떤 일도 쉽게 얻는 것이 없음을 알았다. 또 사보 및 웹진 기자로 활동하며 글 쓰는 능력이 이전보다 훨씬 성장했다. 이 또한 감사했다.

2년의 계약 기간을 마치고 집으로 오던 날, 서운하면서도 참 기뻤다. 한 줄의 글쓰기 경력이 또 생겼기 때문이다. 이는, 또 다른 글 쓰는 직업을 갖는데 도움이 될 것이 확실했다.

03-1. 사보 및 웹진 기자 비하인드 스토리

▶뛰어난 지원자들 가운데 내가 채용된 이유

연구소 기자로 출근해서 업무가 어느 정도 익숙해졌을 때, 면접관으로 참여하셨던 직원분과 마주 앉아 식사를 할 기회가 있었다. 밥만 먹기 머쓱해서 사적인 이야기를 조금 하다가 정말 궁금한 질문을 했다. 왜 나를 뽑게 되었느냐고 말이다. 솔직한 성격이 장점이었던 직원 분은 잠시 멈칫하셨다. 어떤 말씀을 해주셔도 괜찮으니 말씀해 달라고 졸라댔다. 정말 궁금했기 때문이다.

"사실, 시험을 보는 것에 대해 내부적으로도 많이 고민했어요. 면접자들에게 시험이 있다고 미리 공지한 것이 아니었으니까요. 그랬더니 역시나 준비가 안 된 분들이 많더군요. 글로리 씨도 마찬가지였고요. 그런데 글로리 씨가 '몰라서 죄송하다. 노력해서 성장하겠다.'라고 답한 부분이 진정성 있게 다가왔어요. 다른 분들은 몰라도 엉뚱한 답변을 써 놓았는데 말입니다. 그때 팀장님과 많은 대화를 한 끝에, 엉뚱한 답변보다는 차라리 노력해서 성장하겠다고 답을 쓴 사람을 뽑자고 결론을 내린 겁니다."

그렇다. 뛰어난 실력을 보유한 사람들 가운데 내가 뽑힌 이유는, 솔직한 자세였다. 모르는 문제에 엉뚱한 답을 쓰기보다는, 모른다고 솔직히 인정한 자세 말이다. 직원 분의 답변을 듣고 괜히 뭉클했다. 끝날 때까지 끝난 것이 아니니, 끝까지 노력해야 한다는 말을 실감하는 순간이었다. 면접 당시, 다른 지원자들이 볼펜이 날아갈 정도로 쓰는 것을 보며 주눅이 들었다. 그때 만약, 나는 틀렸다는 생각에 빈 시험지를 내고 나왔다면 사보기자로 일할 기회는 없었을 것이다. 끝까지 포기하지 않고 노력해보는 자세의 중요성을 알게 되었다.

▶사보기자 및 웹진기자가 하는 일은?

사보는 기업 내의 의사전달이 잘 이루어지도록 돕는 글을 싣는 정기간행물이다. 여기서 사보기자는 보통 홍보팀 소속으로 사보에 실을 글의 기획, 원고 청탁, 취재, 편집, 교정, 인쇄까지 참여한다. 대부분 기업에 소속된 직원들이 사보기자의 역할을 한다. 하지만 내부 사정에 따라 프리랜서 및 외부기관에 의탁하기도 한다.

나의 경우, 외부 기관을 통해 채용된 경우였다. 이전까지는 내부 직원들이 사보를 제작했지만, 웹진 발간을 새롭게 시작하며 외부 인력인 나를 투입한 것이다. 웹진은 쉽게 말해 '전자책'과 비슷한 개념이다. 사보는 종이책으로 발간되었다면 웹진은 전자책으로 발간된 것이다. 당시 나도 웹진이 처음이었지만, 발간 형태만 다를 뿐 기획하고 취재하여 글을 쓰는 형태는 같았다. 그래서 사보의 두세 꼭지를 맡는 것은 물론 웹진 전체 콘텐츠 작성은 내가 도맡았다.

연구소였기 때문에 내부 직원 분들의 업무 과정 취재 그리고 연구소에서 진행하는 프로젝트 및 성과에 대해 다루는 기사들을 썼다. 물론 일반인들이 연구소에 관심을 갖도록 카툰 형식으로 제작하거나 이벤트도 자주 열었다. 보통 사보 및 웹진을 진행하는 직원은 두세 명이고 외부 작가 및 전문가에게 글을 의뢰하기도 한다. 사보기자는 안정된 기업 및 기관 소속이라 인기 있는 콘텐츠 작성에 대한 압박감이 덜한 편이다. 단, 기업과 기관을 위한 정기간행물이니, 기업과 기관이 원하는 방향으로 콘텐츠를 만들어야 하는 특성이 있다.

04. 관심으로 시작된 미즈 콘텐츠 프리랜서 작가

웹진 콘텐츠 주제를 찾기 위해 포털사이트 메인 화면을 둘러보다가 흥미로운 기사 제목을 발견했다. 아마도 스킨케어 관련 기사였던 것 같다. 피부 트러블로 고민하던 차에 잘되었다 싶어 클릭해서 들어갔다. 내용은 피부 트러블의 원인과 개선방법, 피부 트러블에 좋은 생활습관 및 식생활, 트러블에 효과 있는 제품 소개였다. 꽤 유용한 정보인 것 같아 기사의 내용대로 물 많이 먹기, 야채와 과일 충분히 먹기, 잠들기 전 추천해준 제품 쓰기를 실천했다. 정말 1주일 만에 피부가 깨끗해졌다. 이후, 콘텐츠가 매우 유용하다는 생각에 매일 들어가 읽고 따라 했다. 어쩌다 보니 나는 애독자가 되어 있었다.

그러던 어느 날, 기사 하단에 두세 줄 정도로 내 마음을 움직이는 글이 있었다.

"저희 □□미즈에서는 뷰티 및 패션, 건강과 관련된 콘텐츠 기사를 써 주실 작가님을 모십니다. 관심 있으신 분들은 샘플 기사와 이력서를 이메일로 보내주세요."

가슴이 두근거렸다. 착각일 수도 있지만 될 것 같았다. 당시 웹진 및 사보 기자 일만으로도 바빴지만, 워낙 관심 있게 지켜보던 콘텐츠라 하고 싶은 마음이 컸다.

그날 밤, 두근거리는 가슴을 진정시키며 샘플 기사를 작성했다. 인터넷 검색만으로도 건강과 뷰티 관련 자료는 넘쳤기에 리라이팅하여 기사를 만드는 것은 어려운 일이 아니었다. 더욱이 워낙 애독하던 콘텐츠라 회사가 원하는 방향성 파악이 한 번에 되었다. 물론, 내가 쓰는 글이 담당자의 마음에 쏙 들 것이라는 생각은 하지 않았다. 선택받는 일이란, 늘 반반의 확률이니까.

솔직히, 절반의 확률을 믿고 내 시간을 쓰는 것이 즐겁기만 하지는 않다. 그러나 그 절반의 확률을 믿고 도전해야 마음이 편했다. 도전을 위해 샘플 기사를 작성하는 동안, 내 글쓰기 실력이 더 발전할 것을 알고 있었기 때문이다.

샘플 기사를 보낸 일주일 뒤, 전화가 왔다. 02로 찍히는 서울 전화였다.

"안녕하세요. 글로리 씨죠? 저희 □□미즈에 보내주신 기사와 이력서를 검토해보았어요. 잘하실 수 있을 것 같다는 내부 의견이 모아져 연락드렸습니다. 일주일에 2개의 기사를 자유롭게 작성하여 주시면 될 것 같습니다. 하실 수 있을까요?"

"평소 즐겨 보던 콘텐츠라 재미있게 할 수 있을 것 같아요. 어떻게 시작하면 될까요?"

"아시겠지만 저희는 패션과 뷰티, 건강 제품 홍보를 자연스럽게 노출하는데 목적이 있어요. 물론 각 제품 회사로부터 후원을 받아 회사 운영 및 원고료가 나갑니다. 단, 노골적인 홍보가 아니라 좋은 정보와 재미있는 구성으로 콘텐츠를 만들어야 합니다. 제품 홍보는 마지막에 짧게 참고용으로 나가는 수준입니다. 때문에 제품에 대해서는 신경 쓰지 마시고 스킨케어, 패션, 건강 등에 어울릴만한 콘텐츠를 작성해서 담당자에게 보내주시면 됩니다. 다만 키워드는 확실히 있어야 해요. 예를 들어 스킨케어라면 주름, 미백, 트러블, 화이트닝 등 확실한 키워드 안에서 글을 쓰셔야 합니다."

그렇게 나는 □□미즈의 프리랜서 작가로 활동을 시작했다. 원고료도 괜찮았고 담당자와 소통도 잘 되어 더할 나위 없이 즐거운 시간이었다. 20대 중반 여자가 바라보는 시선과 감성으로 가볍게 쓰기 좋은 글이었기 때문이다. 물론 편집자의 요청으로 수정 작업을 하는 경우도 있었지만, 기본적으로 나에 대한 신뢰가 있었기에 좋은 마음으로 임할 수 있었다. 여기서 신뢰란, '그 사람이 잘 해낼 것이라 믿어주는 것'이다. □□미즈와 즐겁게 일했던 이유는, 편집자가 나를 믿어주었기 때문이다. 그래서 더 잘 해낼 수 있었다.

다양한 분야에 관심을 갖는 것은 물론 좋은 기회가 왔을 때, 적극 나설 수 있는 용기가 있어야 한다. 용기를 낸다는 것은 매우 부지런한 일이다. 마음을 다독여 나를 컴퓨터 앞에 앉히고, 이메일로 샘플 기사든, 이력서든 전송시키는 수고가 있어야 하기 때문이다.

안타깝게도 포털사이트와 □□미즈의 계약이 끝나며 관련 콘텐츠도 사라지게 되었다. 약 2년 동안의 즐거운 일이 끝난 것이다. 왜 좋은 것은 금방 끝나는 것 같은지 모르겠다.

왜 유독 □□미즈에서의 일이 즐거운 기억으로 남았는지 생각해 본 적이 있다. 이유는 매우 명쾌했다. 연구소에서 나는 '글로리 씨'였지만, □□미즈에서 나는 '글로리 작가님'이었던 것이다. 드라마 작가 지망생이기도 했던 나는, □□미즈 담당자가 작가님이라고 불러줄 때마다 콘텐츠에 도움이 되는 작가님이 되고자 노력했다. 글로리 씨는 퇴근만 기다리는 회사원이었지만, 글로리 작가님은 작가로서의 프로의식과 열정으로 충만했으니까.

덕분에 나는, 새로운 사람을 만났을 때 그를 어떻게 불러줘야 할지 조금 더 깊이 생각하는 사람이 될 수 있었다.

04-1. 미리 걱정하지 말아야 하는 이유

□□미즈 콘텐츠 프리랜서 작가로 일할 수 있게 되었을 때, 좋지만 고민되었다. 당시 나는 연구소에서 진행하는 일만으로도 충분히 바쁜 상태였기 때문이다. 그런데도 콘텐츠 작가 일에 욕심이 났다. 심지어, 함께 일해보자는 □□미즈 측의 결정 이후에도 많은 걱정이 되었다. 너무 무리해서 이것도 저것도 못해낼까 봐 걱정된 것이다. 결정이 어려워 친구에게 상의를 했다. 친구는 왜 고생을 자처하느냐는 답을 줬다. 하루 종일 연구소 일만으로도 힘들 텐데, 집에 가서 왜 또 일을 하려고 하느냐는 것이다.

친구 말이 맞다. 그런데 나는 그 고생을 자처하고 싶었다. 왜 그랬을까 곰곰이 생각해 보았다. 그 생각의 답은 '불안'이었다. □□미즈에서 하는 패션, 미용, 연애에 관한 글쓰기를 다시는 만나지 못할 것이라는 불안, 연구소에서 얼마나 오랫동안 일할 수 있을지 모른다는 것에 대한 불안이었다.(당시 나는 정규직이 아니었다.)

또 백수 생활을 6개월 동안 하며 일과 기회에 대한 목마름이 큰 상태였다. 그래서 일이 들어왔을 때 놓치지 않고 싶은 마음이 컸다.

결국 나는 고생을 자처하기로 결심했다. 그것은 옳은 선택이었다. □□미즈에서 글 쓰는 일은 즐겁고 자존감이 높아지는 일이었기 때문이다. 특히, □□미즈 담당자가 나를 작가님이라 불러주고 기사 하단에 내 이름 석 자를 넣어줘서 좋았던 것 같다.

해보지도 않고 미리 걱정하지 말자. 어떤 선택을 할 때, 그 일을 선택하면 혹은 선택하지 않으면 발생할 일에 대해 미리 걱정할 필요가 없다. 그저 마음 가는 대로 하면 된다. 나 역시 퇴근 후 집에서 또 일하는 것이 부담스러웠다. 그러나 꼭 하고 싶은 거다. 자꾸만 하고 싶은 거다. 그래서 했다. 결국은 좋은 선택이었다.

그러니 미리 걱정하지 말자. 다른 사람에게 물어보지도 말자.
그냥 마음 가는 대로 선택하면 된다. 그럼 힘들어도 웃으며 다시 해낼 수 있다.

05. 피아노 교재 교정교열 그 후

연구소에서 사보 및 웹진 기자로 일하던 시절, 첫 대학에서 만난 선배님과 연락이 닿았다. 처음에는 단순한 안부였다. 하지만 워낙 유머감각이 있고 편한 스타일이라 사회생활 중 어려운 일이 생길 때마다 상담 형식의 전화를 자주 했었다. 그러다 선배님은 친한 친구를, 나는 친한 언니를 소개팅해줬고 그 두 사람이 덜컥 결혼까지 하게 되었다. 덕분에 선배님과 나는 결혼을 한 두 분과 함께 만나는 일이 종종 있었다.

그러던 어느 날, 선배님과 함께 취재를 가게 되었다. 한 달에 한두 번 정도 멀리 취재하러 갈 일이 있었는데 그때마다 택시를 타고 다녔다. 워낙 겁이 많아 운전면허증이 있어도 자동차 운전을 하지 못했기 때문이다. 한편, 차가 있던 선배님은 내 사정을 알고 취재지에 종종 동행해주었다. 그렇게 선배님과의 연이 이어졌고, 일년의 연애 후 결혼까지 하게 되었다.

선배님과 연애를 하고 결혼까지 하는 과정은 거침없이 진행되었다. 돌이켜보면 사랑의 콩깍지가 단단히 씌어 있었다. 그동안 얼마나 치열하게 글 쓰는 직업을 갖기 위해 노력했는지, 왜 월급의 70%를 저축하며 돈을 모았었는지 전부 다 잊어버렸다. 몰랐다. 나라는 사람이 누군가를 정말 좋아하면 목표도 잊을 수 있는 사람이라는 사실을.

결혼 후, 허니문 베이비로 임신도 했다. 임신을 한 상태라 출근은 불가능하다고 여겨졌다. 그래서 이력서와 자기소개서를 재정비하고, 포트폴리오도 최대한 정성스럽게 만들었다. 그리고 늘 애용하던 여러 취업 사이트에 올렸다. 임신 후 출산, 육아까지 고려해 재택근무를 하겠다는 생각이었다. 물론 재택근무 또한 글 쓰는 일에만 지원했다.

임신 기간 동안에는, 지역 단체에서 진행하는 '글쓰기 독서 지도사'자격증 과정도 수강하기 시작했다. 점점 배가 불러와 앉아 있는 것도 힘든 날들이 이어졌지만, 배우며 성장하는 나를 지켜보는 기쁨이 있었다. 무엇보다 아이를 낳고 다시 사회로 복귀하려면 배워야 한다는 마음이 컸다. 결국 나는 7월에 '글쓰기 독서 지도사' 자격증 과정을 수료했고 9월에 출산했다.

아이를 출산하고 육아라는 것을 처음 경험했다. 매일이 놀라움의 연속이었다. 잠과 식사는 물론 화장실도 내 마음대로 가기가 어려운 날들이었다. 아이를 키우는 것이 이처럼 어려운 일인지 상상도 못 했다. 한 마디로 충격의 날들이었다. 물론 아기는 너무나 사랑스러웠다. 하루 종일 보고 있어도 지루하지 않았다. 그런 감정은 처음이었다. 새벽녘 아기에게 분유를 먹이다 꾸벅꾸벅 조는 나, 밥 먹다가도 아기가 울면 뛰어가야 하는 나, 세상의 중심이 모두 아기 위주로 돌아가도록 모든 환경을 조성하는 나를 발견했다. 누가 시킨 것도 아닌데 나는 철저히 아기 위주로 살며, '나'를 잊어가고 있었다.

그러던 어느 날, 아기 돌잔치를 준비하며 성장 동영상을 만들어주는 회사를 알게 되었다. 업체와 소통 후, 동영상을 받을 이메일 주소를 기입하는데 정신이 번쩍 들었다.

세상에! 아기를 낳고 한 번도 이메일을 로그인하지 않은 것이다. 글 쓰는 일을 하며 살겠다고 불도저처럼 직진하던 내가, 아기 키우느라 이메일 로그인도 하지 않고 살았던 것이다.

이메일 로그인 후, 쌓여있는 스팸 메일을 지우며 참 많이 서러웠다. 하루에도 수십 번 이메일을 접속해 업무 자료를 주고받았고, 포털사이트와 연동된 콘텐츠에 내 글을 올리기도 했던 나였다. 그런 내가 일 년 동안이나 접속을 하지 않은 것이다.

정신이 번쩍 들었다. 이대로 주저앉으면 억울할 것 같았다. 뭐라도 하겠다는 마음이었다. 그래서 다시 이력서를 업데이트하기 시작했다. 드라마 극본도 다시 쓰기 시작했다. 비록 원하던 방송아카데미 드라마 작가 부분을 수료할 상황이 못 되었지만, 꾸준히 습작하면 길이 열릴 것이라는 마음이었다. 글은 아기가 잘 때 틈틈이 썼다.

그때였다. 아기를 재우고 이메일을 열었는데 심상치 않은 메일 한 통이 와 있었다.

'글로리님 안녕하세요. 저는 피아노 학원을 운영하는 사람입니다. 취업사이트를 둘러보다가 저와 같은 지역에 거주하고 계시는 글로리님을 발견했습니다. 기자로 활동도 하시고 수상 경력도 꽤 많으셔서 피아노 교재 발간 전, 글로리님께 교정교열을 맡기고 싶다는 생각에 메일을 드립니다. 가능하시다면 연락 부탁드립니다.'

처음이었다. 내가 지원하지 않았는데 먼저 함께 일하자고 손을 내미는 사람을 만난 건.

남편이 쉬는 날, 아기를 맡기고 학원으로 향했다. 학원 원장님은 매우 온화하고 겸손한 분이셨다. 만나서 간단히 인사만 나누려 했는데, 워낙 코드가 잘 맞아 서로의 인생까지 이야기하게 되었다. 나도 모르게 현재 아기를 낳아 육아 중이라는 이야기를 했다. 일을 위해 만난 분에게 '아기 엄마'가 된 나를 말하고 싶지는 않았다. 혹 아기를 돌보느라 일에 소홀할까 걱정할 수도 있다는 염려 때문이다. 다행히도 원장님은 걱정이 아닌 배려를 해주셨다. 만나기 전 요청했던 일정보다 2주를 더 주시며, 천천히 해도 좋다고 했다.

원장님을 만나고 돌아오는 길, 목표한 인생 항로대로 가지 않고 이탈한 것에 대한 후회가 사라지고 있었다. 사랑스러운 아기가 생긴 것은 어쩌면 내 인생에 꼭 필요한 항로일지도 모른다는 생각이 들었기 때문이다.

피아노 교재를 교정교열 한 뒤, 소정의 금액이 입금되었다. 통장에 입금된 내역을 보며 너무 좋아서 눈물까지 났다. '나'라는 사람의 존재를 확인받는 기분이었다. 지금은 아니지만, 그때의 나는 그랬다.(지금의 나는 돈 때문이 아니라 그냥 존재 자체가 축복임을 알고 있다.)

육아라는 거대한 임무를 수행하기 시작하며 '나'를 잃었던 것은 확실하다. 그러나 육아의 풍랑 속에서도 가까스로 핸들을 잡았다. 어느 방향으로 핸들을 움직여야 할지 아무도 알려주지 않았지만, 핸들을 잡을 용기를 가졌던 그때의 나를 칭찬한다. 이력서를 정비했고, 피아노 원장님의 제의를 받아들였으며, 드라마 극본 습작도 시작했기 때문이다. 덕분에 풍랑 속에 영원히 잠기지 않을 수 있었다.

05-1. 결혼을 선택할 당신에게 해주고 싶은 말

사랑하는 사람과 결혼을 하고 싶은 것은 인간의 본성이라 생각한다. 사랑하는 사람과 헤어지지 않고 함께 있고 싶은 것은 매우 당연하다.

그러나 결혼은 현실이다. 이 흔한 말을 또 꺼내는 것은, 정말 결혼은 현실이기 때문이다. 주변에 결혼한 사람이 있다면 그들과 많은 대화를 해야 한다. 결혼 전과 후의 삶에 대해서 말이다. 어쩌면 결혼한 지인들이 긍정적인 말만 해주지 않을 것이다. 그렇다고 결혼이 나쁜 것은 아니다.

특히, 결혼을 선택할 당신이 여성이라면 임신과 출산, 육아에 대해서 충분히 알아보기 바란다. 단순히 사랑하는 사람을 닮은 아기를 낳아 예쁘게 키우며 행복하게 살 것이라는 생각만으로는 부족하다. 아이를 키우는 것에 대해 충분히 공부하고 주변 아기 엄마들과 대화를 해서, '내가 해낼 수 있을까?'를 반드시 고민하자. 혹,

결혼 후에도 해야 할 공부나 다녀야 할 직장, 이루고 싶은 꿈을 가진 여성이라면 더 꼼꼼히 고민하자.

고민을 해야 하는 이유는 간단하다. 여성이 아기를 낳으면 대부분의 시간을 아기에게 줘야 하기 때문이다.(요즘은 여성이 일을 하고 남성이 육아휴직을 내는 경우도 있지만, 흔한 일은 아니다). 아기를 낳는 순간, 여성의 인생 계획에 변화가 생길 수밖에 없다. 남자도 마찬가지다. 밖에서 지치게 일하고 돌아와 아이 목욕시키기와 밀린 설거지, 쓰레기 분리수거를 해야 할 수도 있다. 그러니 결혼 후 육아라는 풍랑을 만나도 무너지지 않을 만발의 준비를 해야 한다.

나의 경우, 정말 아무 생각 없이 임신과 출산, 육아에 뛰어들었다. 처음에는 남들 다 하는 육아니까 할 수 있다는 마음이었다. 그러나 아무리 육아의 달인이라도 힘든 순간들이 온다. 물론 사람마다 다르겠지만 아기를 키우며 일을 한다는 것 자체가 무리다. 부모님 도움을 받아 키우고, 일찍부터 어린이집에 보내도 마찬가지다. 어차피 최종 책임자는 엄마(아빠)다. 일 때문에 함께 못 있어도 마음이 쓰이는 것은 매 한 가지이기 때문이다.

그러니 이 글을 읽고 있는 당신이 아직 미혼이고 결혼을 선택할 예정이라면, 결혼 후 아이를 키운 분들과 충분한 대화를 하자.

아이를 낳지 말라는 말이 아니다. 아이는 정말 눈에 넣어도 아프지 않을 정도로 사랑스럽다. 실제로 나는 두 아이가 내 인생의 귀한 선물이라 생각한다. 그러나 아이를 위해서라도 어떻게 키울 수 있을지 충분히 고민하고 준비하는 시간이 필요하다. 아이가 당신의 잠을 방해하고, 당신의 미래를 정지시켜도 사랑으로 키울 수 있는 마음을 장착해야 하는 것이다.

100세 시대다. 짧다면 짧고 길면 긴 인생이다. 그 소중한 인생을 눈물과 회한으로 보내지 않길 바란다. 결혼 이후의 삶에 대해 충분히 알아보고, 잘 해낼 수 있는 마음가짐이 장착되었을 때 결혼과 임신, 출산, 육아를 진행하자.

06. 커뮤니티 카페를 수시로 들락거리는 습관

대전에서 사보를 제작하는 출판사에서 전화가 왔다. 사보 기자 경험이 있으니 면접을 보자고 했다.

"저, 지금 임신을 했는데 괜찮을까요? 출산 후 부모님께 아이를 부탁드리고 출근할 수는 있어요."

저쪽에서 망설이고 있었다. 쉽게 대답하지 못했다. 잠시 후,

"죄송합니다. 다음 기회에 다시 도전해보시는 것이 좋을 것 같습니다."

거절의 대답을 듣고 약 5초 씁쓸했으나, 곧 아무렇지도 않았다. 나도 그 정도는 안다. 임신 중인 사람을 뽑고 싶은 회사는 별로

없다는 사실. 그럼에도 불구하고 들이대 본 거다. 거절당했지만 기분은 좋았다. 입사지원서를 보고 전화를 준 회사 덕분에 아직은 필요한 인재라 입증받은 것 같았기 때문이다. 당시의 나는 글 쓰는 일로 전화가 오냐, 안 오느냐로 내 존재감을 확인하는 사람이었다. 안쓰럽게도.

그러던 어느 날 인기리에 방영했던 드라마의 장면을 캡처 해, 약스무 컷 정도의 대화형 유머를 만들어줄 수 있냐는 전화가 왔다. 물론 내가 먼저 지원했기에 전화가 온 것이다. 이 일은 자주 가는 '드라마 작가 지망생'들의 커뮤니티 카페, 구인란에서 보고 지원했더랬다.

나의 장점 중 하나는 '꾸준함'이다. 한 번 시작한 것은 끝이 보일 때까지 하는 편이다. 특히 마음에 드는 카페나 음식점이 있으면 단골 정신으로 찾아가고, 벤치도 늘 앉던 자리에 앉으려 한다. 드라마 작가 지망생들의 커뮤니티 카페도 그랬다. 20대 초반부터 거의 매일 수시로 접속했다. 그래서 하루 한 번이라도 들어갔다 나와야 속이 시원했다. 덕분에 글 쓰는 일을 종종 구할 수 있었다. 물론 지원한다고 늘 뽑히는 것은 아니었다. 어떤 때는 한꺼번에 두세 개의 일이 들어오지만, 어떤 때는 열 번을 지원해도 다 떨어질 때가 있었다.

드라마 장면을 캡처 해 내용을 재구성하는 일의 담당자가 물었다.

"하실 수 있을까요?"

"혹시 예시가 있을까요? 대략적으로 방향만 잡아주시면 할 수도 있을 것 같아요."

"저희도 처음 시작한 일이라 예시는 없어요. 저희가 계약한 두 개의 드라마가 있어요. 그 드라마의 특정 장면을 캡처 해 인물관계도, 줄거리, 대사 모두 글로리 씨 마음대로 20컷 정도로 구성하시면 돼요. 물론 재미가 있어야 합니다. 해보실래요?"

"하고 싶어요. 그래도 혹시 모르니 제가 샘플 작업해서 보내드릴게요. 보시고 괜찮으시면 본격적으로 함께 했으면 해요."

"샘플 작업을 먼저 요청하시다니, 저희 측에서도 감사하네요."

나는 샘플 작업하는 것이 좋다. 그것은 나를 보호하는 방법 중 하나이기 때문이다. 함께 일하자고 해서 잔뜩 부풀어 있는데, 결과물을 보고 마음에 들지 않는다며 작별인사를 하는 업체가 종종 있었다. 그때마다 나는 바람 빠진 풍선처럼 하루 종일 마음이 허하고 힘들었다. 프리랜서는 언제든 거절당할 수 있음을 알면서도 늘 상처 받았다. 그래서 내 이력서만 보고 함께 일하자는 회사를 만나면 내가 먼저 샘플 작업을 제안한다. 그래야 서로의 니즈를 파악해 만족하는 결과물을 만들 수 있기 때문이다.

나는 그 일을 꼭 하고 싶었다. 그래서 드라마 원작도 열심히 챙겨보았다. 그다음, 드라마 속 연기자들의 표정과 행동이 다음 컷과 자연스럽게 연결되도록 캡처하고 말풍선에 대화도 썼다. 즐거운 상황과 스토리가 되도록 재구성하고 대사를 쓴 것이다.

이 일은 꽤 시간이 걸렸고, 재수정도 들어왔다. 그래도 재미있었다. 그때 알았다. 정말 재미있는 일을 하면 재수정에 재수정을 요구해도 화가 나지 않는다는 사실을 말이다.

만약, 드라마 작가 지망생들의 커뮤니티 카페에 들어가는 습관이 없었다면 내가 그 일을 할 수 있었을까? 일찍 일어나는 새가 벌레를 잡는다는 말처럼, 이곳저곳에 관심을 갖고 부지런히 살펴보는 태도는 분명한 이득이었다.

06-1. 무조건 도전하는 무모함이 지혜가 될 수 있다

내가 일을 시작할 때 늘 하는 말이 있다.

"혹시 예시가 있을까요?"

"샘플 작업해서 보내드릴게요. 보시고 작업 방향이 맞으면 함께 일하는 것으로 하고 싶습니다."

위 두 가지 말을 하는 이유는 하나다. 나는 그 일을 처음 해보기 때문이다. 글 쓰는 일은 종류가 매우 많다. 대부분의 사람들이 알고 있는 소설, 시, 에세이 쓰는 것 말고 기업에서 수익을 내기 위해 진행하는 글 쓰는 일들이 다양하게 존재하는 것이다. 그런데 그 다양한 종류의 일들을 다 경험해 보기는 어렵다. 특히, 나는 프리랜서로서 여러 기업과 일을 했기에 늘 다양한 종류의 일에 직면했다. 그러니 처음 하는 일들이 많았고, 잘 못하는 것이 당연하지만 감을 제대로 잡으면 할 수 있다는 마음으로 모든 일과 마주했다. 샘플 및 샘플 작업을 먼저 요청하는 것도 그런 이유에서였다.

회사에서 내게 일을 맡길 때 많은 고민을 할 것이라 예상했다. 서울이 아닌 지방에 살고, 관련 업무 경험도 없으니 말이다. 그래서 내가 먼저 나의 장점을 드러낸다. 장점이란, 바로 실력이다. 언제든 소통할 수 있는 거리에 없고 관련 경험이 없어도 함께 일하고 싶은 실력을 가진 사람임을 어필하는 것이다. 물론 그 실력은 샘플 작업을 해주는 것으로 증명한다.

물론, 나의 전략이 매번 통하는 것은 아니다. 샘플 작업을 보았는데 실력이 전혀 느껴지지 않을 때가 있기 때문이다. 그러면 나는 또 다른 전략을 썼다. 그것은 '무조건 도전'이다. 아니 어쩌면 무모한 도전이었을지도 모른다. 남들이 봤을 때, '해보지도 않은 일을 왜 하겠다고 도전하느냐'라고 말할 수 있다. 하지만 기껏 살아봤자 몇십 년인 내가 해본 일이 뭐 얼마나 있을까? 세상에는 다양한 일들이 존재하고, 나는 대부분 경험하지 못했다. 그래서 도전한다. 나의 적은 가능성이라도 믿고 일을 맡겨줄 담당자의 지혜로운 선택을 바라면서 말이다.

도전은 어려운 것이 아니다. 내가 가지고 있는 이력서와 자기소개서를 기업에 전송하면 된다. 결과에 연연하지 않겠다는 마음과 약간의 의지만 있으면 된다. 컴퓨터를 켜고 마우스만 클릭하면 되는 일인 것이다. 물론 연락이 오지 않을 수도 있다. 그렇다고 실망할 필요 없다. 나 또한 기업에서 외주 작가를 뽑는 일에 관여한 적이 있었는데, 기업에서 원하는 조건에 부합되는 단 한 사람에게만 연락을 준다. 다시 말해, 떨어진 다른 사람이 실력이 없어서 연락 주지 않는 것이 아니다. 기업에서 원하는 세부적인 조건들 그러니까 나이, 성별, 지역 등 실력과 관계없는 이유들로 채용되지 않았을 뿐이다.

도전은 많이 할수록 성공의 가능성이 높아진다. 100번 도전해서 100번 떨어져도 실망할 필요 없다. 101번째에 성공할 수도 있지 않은가? 자신이 좋아하는 일에 도전하자. 무모해 보여도 사실은 그 무모함이 지혜일 수 있다. '도전이나 해 볼걸~'보다는 '할 만큼 했으니 후회 없다'가 더 멋있다. 실력을 쌓고 도전하는 것도 좋지만, 도전하며 실력을 쌓는 것도 지혜롭다.

07. 재테크 서적 교정교열 및 리라이팅

나는 육아도, 일도 다 잘 해낼 수 있는 방법을 찾고 싶어 했다. 그래서 이곳저곳에 입사지원을 했는데, 아이를 키우며 할 수 있는 일은 그리 많지 않았다. 아이가 어린이집에 가 있는 동안 할 수 있는 일을 찾으려니, 더 그랬던 것 같다. 물론, 시간제로 할 수 있는 서비스 직무가 있었지만 선뜻 나설 수 없었다. 한 번이라도 경로 이탈을 하면, 오랫동안 본래의 자리 그러니까 글 쓰는 사람으로 돌아오지 못할까 봐 겁이 났기 때문이다.

9시 출근, 6시 퇴근이 기본인 업무를 할까 생각했지만 적어도 아이가 초등학교 2학년까지는 하교 후 집에서 반갑게 맞이해주는 엄마이고 싶었다. 무엇보다 9시 출근 시간을 맞추려고 아이를 깨워 먹이고 입히는 것은 물론, 나 자신을 꾸미고 나갈 자신이 없었다. 또 6시에 퇴근하자마자 뛰쳐나와 아이를 데리러 갔는데, 왜 이렇게 늦게 왔냐는 원망의 소리를 듣고 버틸 자신도 없었다.

일도 육아도 잘 해내고 싶다는 욕심으로 재택근무를 찾기 시작했다. 이전에는 투잡 개념으로 재택 아르바이트를 했지만, 본격적으로 재택근무를 하기로 결심한 것이다. 아이가 3살쯤 되었을 때, 나의 모든 뇌 프로그램은 '돈 벌고 싶은 엄마'였다. 드라마? 공모전? 거의 생각하지 않았다.

엄마가 되니 나보다 아이를 먼저 생각하게 되었다. 결혼 전의 나는 아이를 부모님이나 시부모님께 부탁드리고 커리어를 쌓겠다는 생각을 했다. 하지만 결혼 후 아이를 낳아보니 그럴 수 없었다. 내 자식은 내가 키우고 싶은 생각이 컸다. 어린이집과 유치원을 보내도 내가 직접 등원, 하원 시키고 싶었던 것이다. 나도 몰랐던 나를 발견하는 순간이었다.

그래서 재택근무 찾는데 혈안이 되었는데, 자주 들어가는 커뮤니티 카페에서 '재테크 서적 교정교열 편집자'를 찾는다는 글이 올라왔다. 글의 분위기로 보아 출판사 직원인 것 같았다. 간단한 이력을 적어서 메일로 보내면 연락을 준다는 짧은 글이었다. 솔직히 내가 그 일을 할 수 있을 것이라는 기대가 없었다. 책 교정교열은 한 번도 해본 적이 없었기 때문이다. 글보다는 악보가 더 많은 피아노 교재 교정교열은 해보았으나 말 그대로 악보집에 가까웠다. 또, 지인들의 부탁으로 두세 장의 간단한 글을 교정교열해보았으나, A4 100페이지에 가까운 글을 교정교열해본 적은 없었다.

그럼에도 불구하고 도전했다. 어떻게든 재택근무할 수 있는 경로를 개척해야 했기 때문이다. 담당자 이메일로 이력서를 보내며 간단한 멘트를 썼다.

'저는 책 교정교열이 거의 처음이나 마찬가지인 사람입니다. 하지만 책 읽기를 좋아하고 교정교열을 잘하고 싶은 열정도 있기에, 맡겨주시면 감사한 마음으로 최선을 다하겠습니다. 혹, 샘플 작업을 원하신다면 요청하셔도 됩니다. 저 또한 귀 업무를 잘 해내고 싶고 도움이 되고 싶기에, 샘플 작업 요청도 환영합니다.'

솔직한 심정이었다. 괜히 회사에 피해를 주기보다는 서로 작업 스타일이 맞는지 확인 후 진행하고 싶었다.

메일을 보내고 1주일 후, 담당자로부터 답장이 왔다. 교정교열 및 리라이팅 해야 할 원고 1페이지를 보내며 자연스럽게 읽히도록 고쳐서 보내달라는 요청이었다. 나의 제안을 받아들여준 출판사 쪽에 감사한 마음까지 들었다. 한편, 샘플 작업 후 마음에 들지 않는다고 할까 봐 걱정도 되었다.

서로 맞지 않으면 포기하겠다는 마음으로 글을 고쳐나갔다. 법과 규정에 관한 내용이라 단어와 문장 자체가 무척 어렵게 느껴지는 글들이었다.
A4 1페이지를 고치는데 3시간이나 걸렸다. 물론 온전히 집중한 시간은 1시간이다. 나머지 2시간은 난해한 원문을 이해하고, 어떻게 고쳐야 좋을지 고민하는 아니 방황하는 시간들이었다. 3시간을 투자해 리라이팅 및 교정교열 한 샘플을 메일로 보냈다. 3시간이나 투자한 결과가 좋을 수도, 나쁠 수도 있었다. 하지만 글 쓰는 일을 구하는 사람에게 거절과 실패는 늘 있는 일이기에, 마음을 의연히 다잡았다. '아니면 말지'하는 심정으로.

그로부터 3주가 지났다. 연락이 없었다. 이번에도 글렀다는 마음에 잠시 우울해졌지만, 하원 하는 아이를 데리고 놀이터에서 힘을 뺐더니 잊어버렸다. 강제로 마음관리가 된 것이다.

글 쓰는 일을 하며 산다는 것은 감정적으로 매우 힘든 일이다. 글이란 것이 보는 사람에 따라 잘 쓴 글, 못 쓴 글이 될 수 있기 때문이다. 누가 보아도 잘 쓴 글이면 좋겠지만 관리자 및 심사자의 개인적인 성향도 간과할 수 없다.

형식을 파괴했지만 감성이 풍부한 작가의 글에 대해, 비평가들은 문학계의 이단아 혹은 기본이 되어 있지 않은 작가라는 평을 내기도 한다. 전문 작가로 활동하는 사람들도 그런데 아마추어인 나는 어떻겠는가. 글 쓰며 사는 일이 매우 감정 소모적인 일인 줄 알면서도, 나는 그 일을 놓지 못했다. 내 선택이었으니까.

무의미하게 시간을 보내고 싶지 않아 지역 신문사 기자라도 해볼까 지원하려는데, 출판사에서 연락이 왔다. 함께 해보자고 했다. 담당자 말로는 샘플 작업을 나 외에 몇 명에게서도 받았는데 내 글이 가장 좋았다고 했다. 너무 기뻤다. 어쨌든 담당자가 내 글이 마음에 든다고 했고, A4 100P 분량의 글 또한 비슷한 방향으로 해내면 되었기 때문이다.

결국, 나는 1년 동안 담당자와 지지고 볶는 소통과 갈등, 화해, 이해의 과정을 거쳐 작업을 마쳤다. 그리고 1년 만에 출간된 책을 받아보았다. 작가는 아니지만 편집자란에 내 이름이 쓰여 있었다. 처음 해본 책 교정교열이라 시행착오도 있었고, 담당자 교체로 소통 문제도 있었지만 어쨌든 결과는 아름다웠다. 책의 맨 뒷장 편집자란에 쓰인 내 이름을 보며 모든 고생이 씻은 듯 날아가는 것 같았다.

07-1. 글 쓰는 프리랜서의 마음관리에 대하여

프리랜서의 장점은 일에 매이지 않고 시간을 자유롭게 구성할 수 있다는 점이다. 직장인처럼 9시부터 6시까지 근무해야 한다는 규칙이 없다. 또 월급이 정해져 있지 않아, 일한 만큼 벌 수 있다. 프리랜서는 철저한 능력 제인 것이다. 그러나 쉴 시간도 없이 일에 매달리는 결과로 이어지는 단점이 될 수도 있다. 또한, 프리랜서는 자유롭다는 생각에 쉬는 날 구분 없이 연락해 일을 맡기는 담당자와 함께 일해야 할 수도 있다.

그중에서도 프리랜서의 가장 힘든 단점은 바로 마음을 관리하는 일이다. 아무리 경력이 화려해도 일이 없을 때가 있다. 세상은 변화되고 이에 적응 못한 프리랜서는 과거에 묶여 있기 때문이다. 나 또한 그랬다. 예전에는 이력서와 샘플 작업만으로도 함께 일하자는 곳이 꽤 있었다. 그러나 시대는 변했고 더 이상은 내 경력이 요즘의 글 쓰는 일에 적합하지 않음을 깨달았다. 더욱이, 나는 한동안 아이 키우는 일에 집중하느라 관련 일을 많이 하지 못했다. 그 사이 글 쓰는 일은 블로그, 인스타그램, 유튜브 등의 플랫폼과 관련된 것으로 옮겨졌다. 이를 모르고 여전히 과거의 방식으로 일을 구하던 내가 선택받는 확률은 매우 낮아졌다.

1년 전, 사이트를 통해 '감성적인 SNS 글 관리하는 일'에 지원을 했다. 담당자로부터 연락이 왔고 '카드 뉴스'를 제작해 본 적이 있느냐고 했다. 그때 내 대답은 '그게 뭐예요?'였다. 그런데도 담당자는 꾹 참고 내게 설명을 해줬다. 여러 장의 카드에 감성적인 글귀를 써서 읽는 이이에게 정보 혹은 감성을 전달하는 것이라 했다. 이번에는 담당자가 먼저 내게 샘플 작업을 요청했다. 그 일을 꼭 하고 싶었던 나는 '도전'을 외치며 작업을 했다. 결과는 좋지 못했다. 그때는 몰랐다. 내가 왜 떨어졌는지.

2021년 7월부터 인스타그램을 시작했다. 인스타그램은 유명한 연예인이나 하는 것으로 알고 있을 정도로 잘 모르는 분야였다. 인스타그램을 시작한 이유는 책 홍보를 위해서였다. 직접 책을 만들어 유통하는 도전을 시작했는데 도저히 홍보할 길이 없었다. 그때 14살 아들이 인스타그램을 권했다. 그렇게 나는 얼떨결에 인스타그램을 시작했다. 어떻게 해야 잘하는 것인지 모르지만, 어쨌든 팔로잉과 팔로워를 눌러 가며 적응 중이다. 그리고 사람들이 만드는 카드뉴스를 보며, 1년 전 내가 왜 뽑히지 않았는지 알았다. 당시 나는 카드 뉴스에 대한 개념조차 몰랐던 것이다.

프리랜서에게 일이 없다는 것은 심적으로 힘든 일이다. 더 이상 쓸모가 없어진 것 같은 자괴감마저 든다. 오랫동안 해온 일이 프리랜서라 갑자기 직장에 들어가기도 어렵다. 나이와 경험이 발목을 잡는 것이다.

이때 마음 관리를 잘해야 한다. '나는 이제 쓸모가 없다'가 아니라 '변화된 시대를 배우며 따라가자'로 말이다. 이는 프리랜서뿐만 아니다. 일반 직장인들도 변화된 시대에 필요한 것들을 배우며 함께 성장해야 한다.

IT업계 뉴스를 보면, 현재를 지탱하는 대부분의 직업이 디지털화되고 사회 전반에 AI의 영향력이 미칠 것이란다. 지금도 무인 편의점, 무인 카페, 무인 아이스크림 가게가 여기저기에서 운영되고 있다. 또 콜센터도 인공지능 로봇의 답변으로 대체되었다. 이외에도 내가 모르는 분야에서 많은 변화가 빠르게 이어지고 있을 것이다. 얼마 전에는 AI가 쓴 소설이 출간되었다는 소식도 들렸다. 글 쓰는 프리랜서도 언젠가는 AI에게 대체될 수 있겠다는 생각이 들었다.

물론 예측이다. 안타깝지만 그 예측이 현실이 될 가능성도 높다. 그렇다고 방법이 전혀 없는 것도 아니다. 인간인 우리는 '대체 불가능한 감성'으로 승부하면 된다. AI는 겉으로 드러난 수치만 참고할 뿐, 인간이 감추고 솔직하게 말하지 않는 감성에 대해서는 모른다. 앞으로 글 쓰는 사람들은 그 대체 불가능한 감성에 대해 쓰면 된다고 생각한다. 물론, 프리랜서로서 마음 관리를 잘하면서 말이다.

나는 일이 없어서 불안한 마음이 들 때면 좋아하는 영화를 보거나 평소 쓰고 싶었던 글을 쓴다. 앞서 말한 것처럼 드라마 작가 지망생이기도 한 나는, 원고료를 받는 일이 없을 때면 드라마 습작을 한다. 요즘에는 글 쓰는 플랫폼인 브런치에서도 글을 쓴다. 내 글을 쓰며 마음을 지키는 것이다.

이 글을 읽고 있는 분들도 마음 관리가 잘 안될 때, 나만의 글쓰기를 추천한다. 형식은 없다. 그냥 당장 쓰고 싶은 것을 쓰면 된다. 누가 원고의뢰를 한 것은 아니지만, 내 글을 쓰는 것이다. 이는 훗날 정말 원고의뢰가 들어왔을 때 글의 재료가 될 수 있다. 무엇보다 완성한 글을 다시 읽을 때면 심리적 안정감과 뿌듯함을 느낄 수 있다. 이외에도 산책, 등산, 봉사활동, 맛있는 음식 먹기, 좋아하는 사람과 만나기 등 다양한 방법으로 마음관리를 한다. 어떻게 하면 기쁜 일상을 살 수 있을지 고민하며, 적극적으로 나를 사랑해주자. 글 쓰는 프리랜서에게 마음관리는 꼭 필요하기 때문이다.

08. 연구 성과집 편집

2년 동안 연구소 홍보팀에서 같이 일했던 친구가 있다. 우리는 같은 팀이었고 맡은 분야가 달랐지만 매일 점심을 같이 먹으며 우정을 쌓았다. 사회에서 만난 친구와 재미있게 소통할 수 있음은 분명 행운이었다. 그러나 퇴사 이후, 내가 먼저 결혼해 아이를 낳고 키우느라 자주 만날 수가 없었다. 그 친구 또한 2년 후 결혼하고 아이를 낳아 키우느라 자주 연락하지 못했다. 둘째를 낳고 한창 몸조리를 하고 있는데, 그 친구에게서 전화가 왔다.

"너 혹시, 연구 성과집 편집 가능해? 옛날에 글 고쳐주는 일 한다는 소리를 들은 것 같아서."

"왜?"

"우리 부서는 아닌데 친한 연구원께서 연구 성과집 편집을 맡으셨대. 그런데 하실 일이 너무 많아서 디자인 업체와 연구원님 사이에서 소통하며 교정교열까지 해줄 만한 사람을 찾더라고. 너 예전에도 비슷한 일 했잖아. 할 수 있겠어?"

"당연하지."

처음이었다. 누군가의 소개로 일을 맡게 되는 것 말이다. 사실 나는 혈연, 지연, 학연은 진즉에 포기하고 살았다. 워낙 내가 가고자 하는 길이 좁았고, 성격적으로 누군가에게 아쉬운 소리도 잘 못하기 때문이다.

일할 때는 아는 사람일수록 더 신경이 쓰인다. 혹 마음에 들지 않는데 친분 때문에 말도 못 하고 끙끙 앓고 있는 것은 아닐까 걱정되었기 때문이다. 그래서 웬만하면 아는 사람과 함께 일하기는 피해 왔다.

그런데 이번에는 친구의 제안을 덥석 받아들였다. 둘째를 임신하고 입덧이 심해 거의 일을 하지 못한 데다, 출산 후 감을 잃은 것은 아닌지 걱정하던 시기였기 때문이다. 물론 이전에 했던 업무라 잘 해낼 수 있을 것이라는 자신감도 있었다.

출산한 지 석 달 만에 친구가 일하는 연구소에 가서 면접을 갔다. 말이 면접이지 얼굴 보고 바로 일을 맡기겠다는 상황이었다. 연구원님을 기다리며 오랜만에 만난 친구와 이런저런 이야기를 하는데 떨림과 불안감이 교차했다. 그리고 나도 모르게 그 불안감이 튀어나왔다.

"혹시나, 내가 이번 일을 기대만큼 잘 못해서 네가 곤란해지면 어쩌니? 물론 성실하게 최선을 다하겠지만 말이야."

"걱정하지 마. 내가 너 알잖아. 예전에 했던 것처럼 하면 돼. 그리고 연구원님 인성이 좋으셔. 그래서 내가 널 추천한 거야. 일하면서 많이 힘들지 않을 거야."

친구의 말을 들으니 한결 마음이 놓였다. 그리고 드디어 연구원님을 만나 일 이야기를 했다. 연구자 분들이 원고를 보내면 일반 사람들이 읽기 편하게 고치고, 글을 모아 디자이너에게 한꺼번에 전달하면 되는 일이었다. 크게 어려울 것 같지 않아 열심히 하겠다는 마음을 전했다. 그러자 연구원님은 원하는 원고료가 있다면 솔직히 말해도 좋다고 하셨다.

솔직히 말하라고 하기에 솔직히 말했다. 모두 놀라는 눈치였다. 아뿔싸! 눈치 없이 너무 많이 부른 것이다. 친구도 조금 놀라는 눈치였지만, 이미 뱉은 말을 주워 담기 어려웠다.

"놀라서 미안해요. 사실 저희가 연구만 했지, 연구 성과집 만드는 일은 처음 맡아봐서 잘 모릅니다. 말씀하신 원고료를 드리도록 할게요. 대신 정말 중간 입장을 꼼꼼히 잘해주셨으면 좋겠습니다."

"감사합니다."

와우, 이렇게도 일을 구할 수도 있다니! 그것도 어느 정도 협상이 있을 줄 알았던 원고료를 내가 원하는 대로 주겠단다. 이런 경우는 처음이었다. 대부분 받고 싶은 원고료를 말하라고 해서 말하면, 조금 더 깎거나 다른 조건을 제시했다. 이번에도 그럴 줄 알았다. 연구원님 말씀대로 원고료만큼 일을 잘하는 것으로 보답하고자 결심했다.

이후, 내 이메일로 연구자 분들의 연구 성과 및 사례 원고가 도착하기 시작했다. 약 50개가 넘는 원고였고, 어느 것 하나 쉬운 것이 없었다. 솔직히 원고를 보고 깜짝 놀랐다. 이 세상 언어가 아닌 줄 알았다. 생각지도 못한 수학 용어와 과학 용어들이 원고의 대부분을 차지했다. 당장 못한다고 말하고 싶은 심정이었다. 원고를 보고 또 봐도 무슨 내용인지 이해가 되지 않았다. 이토록 난해한 원고를 교정, 교열하는 것은 처음이었다. 더욱이, 나는 물리, 생물, 지구과학, 화학 심지어 수학까지 모두 싫어하는 문과생이었단 말이다.

그럼에도 불구하고 나는 이 일을 해야 했다. 갑자기 못한다고 하면 중간에 친구 입장이 무척 난감해질 것이 뻔했기 때문이다.

3개월 된 아기를 낮잠 재우고, 컴퓨터 앞에 앉아 원고를 째려봤다. 대체 어디가 틀렸고 어디가 이상한지 알 수가 없었다. 아니, 사실은 다 이상했다. 그것이 연구할 때 쓰는 고유어인지, 틀린 단어인지 조차도 아리송했다. 막막한 심정에 연구원님께 전화를 드렸다.

"원고가 하나씩 도착하기 시작하는데요. 원고가 대부분 연구 내용이라 저처럼 일반인들은 읽기도 어려운 수준이에요. 어쩌죠?"

"당연히 그렇습니다. 저도 다른 분야의 연구 성과집을 보면 무슨 말인지 잘 이해가 안 됩니다. 글로리 씨는 일반인이니까 일반인 시선으로 글을 교정하는 것이 좋습니다. 글로리 씨가 이해되지 않는 부분은 표시해두세요. 그 부분은 제가 볼게요. 최대한 일반인이 이해할 수 있는 수준으로 고쳐보세요."

인성이 좋은 분이시라더니, 정말 그랬다. 그동안 연구 성과집이 여러 차례 발간되었는데, 어렵다고 외면을 당해왔다고 한다. 그래서 일반인인 나를 투입해 일반인이 읽을 수 있게 만들겠다는 목적이었던 것이다. 물론 최종 탈고는 연구자이자 담당자인 연구원님이 투입되는 것이었다. 그제야 마음의 부담이 덜어졌다. 이때부터 나는 부담 없이 원고를 교정, 교열하기 시작했다. 이처럼, 일 하다가 어려운 부분이 있으면 혼자 해결하지 말고 담당자와 적극 소통하는 것이 좋다.

연구자 분들은 하나같이 글을 길게 나열하는 특징이 있었다. 오랜 시간 연구한 만큼 쓸 것이 많아 문장이 길어지는 것이다. 나는 그 긴 문장을 자르고 잘라, 최대한 읽기 편하게 고치는 역할을 했다. 그리고 교정한 글을 다시 연구자님께 보내 잘못 고친 부분은 없는지 최종 확인을 받았다.

연구자님들께 확인된 원고들은 디자이너에게 보냈고 디자이너는 원고에 어울리는 디자인과 표지 시안을 내게 보냈다. 그럼 나는 그 중 적합한 것을 선택해 다시 담당 연구원님께 확인을 받았다. 이 일은 6개월 동안 진행되었다. 매일 일하는 것은 아니지만 거의 매일 일한 것이나 다름없게 나의 정신세계를 지배했다. 아기 보랴, 일 하랴 정말 정신없는 날들이었다.

그러나 나는 행복했다. 일을 할 수 있어서 좋았다. 만약, 하기 싫은 일을 생계 때문에 했다면 견디기 힘들었을 것이다. 그러나 '글 쓰는 일'은 내가 좋아하는 일이었다. 그래서 아기 기저귀 갈아주고, 분유 타 주고, 재우고 와서도 책상 앞에 앉아 일할 수 있었다.

새삼 '인연'에 대해 생각해보았다. 그 친구는 나처럼 글 쓰는 일을 하는 친구도 아니고 같은 학교를 다녔던 적도 없다. 오직 2년 동안 같은 사무실에서 근무한 것이 다였다. 그런데도 나를 기억해주고 이번 일에 소개를 해준 것이다. 참 고마운 일이었다.

다행히도 소개해준 친구 창피하게 만들지 않고 일을 끝낼 수 있어 참 기뻤다. 그리고 생각했다. '일이 이렇게도 구해지는구나.'라고 말이다.

08-1. 학연, 지연, 혈연

프리랜서는 스스로 일을 구해야 한다. 어느 한 기관에 매여 있는 직장인이 아니기 때문이다. 솔직히 매우 불안정한 직업군이다. 그런데도 많은 사람들이 프리랜서를 지향하는 것은, 노력한 만큼 기회를 얻고 스스로 수익을 올리는 재미가 있기 때문이다. 나의 경우 처음부터 프리랜서로 살겠다는 목표는 없었다. 지방에 사는 여건과 육아로 인해 자연스럽게 프리랜서가 된 것이다.

프리랜서는 수시로 일을 구하는 상황에 놓인다. 그래서 프리랜서에게 학연과 혈연, 지연은 일을 구하는데 도움이 된다. 그렇다고 일부러 주변 사람들에게 일 좀 없냐고 구할 필요는 없다. 아는 사람의 일을 해줄 때의 어려움도 만만치 않기 때문이다.

단, 프리랜서는 자신이 가진 능력으로 스스로 경제활동을 해야 하는 직업이라는 것을 기억해야 한다. 그러니 적어도 주변 사람들에게 무슨 일을 하는지 구체적으로 알릴 필요는 있다.

하지만 나는 학교 친구들 혹은 주변 사람들에게 무슨 일을 하는지 구체적으로 잘 말하지 않는다. 내향적인 면이 있어 꼬리에 꼬리를 무는 질문과 내 일에 대한 지속적인 관심을 부담스러워하기 때문이다. 그렇지만 꼭 말해야 할 상황까지 피하지는 않는다. 누군가 무슨 일을 하느냐고 물어보면 '글 고쳐주는 일'이라고 말한다. 다른 사람의 글을 다듬어주는 일들을 많이 했기 때문이다. 이 정도까지만 이야기했어도, 사람들은 기억을 한다. 그리고 자신이 쓴 글들을 봐주길 원한다. 이때부터 고민이 시작된다. 이 사람에게 돈을 받아야 할지, 공짜로 해줘야 할지 말이다. 안 받는다고 해도 상대방은 어떻게든 보답을 한다. 강제로 원고료를 주거나 비등한 선물을 준다. 문제는 내가 교정교열 해준 글의 결과다. 결과가 좋으면 다행이지만 좋지 않은 경우 괜히 미안해진다. 과거 이런 경험들을 하고, 웬만하면 가까운 사람들의 교정교열 부탁은 받지 않으려 한다. 괜히 어색해질 수 있기 때문이다.

어디까지나 이러한 결과는 내 성향에서 비롯되었다. 감당할 수 있는 성격을 가진 분들이라면 학연, 지연, 혈연에서 오는 불편함 없이 활발하게 스스로를 홍보하시길 권유한다.

09. 종합 출판사 소속 프리랜서 작가

한 통의 전화가 왔다. 놀라운 것은 내가 지원하지 않은 회사라는 점이었다. 전화통화 중, 어떻게 내게 전화를 했느냐고 묻자 관련 일을 할 수 있는 사람들을 검색하다가 내 이력서를 발견했다고 했다. 아! 구직자만 기업을 찾는 줄 알았는데, 기업도 일할 사람을 찾고 있다는 사실을 처음으로 실감했다. 더욱이, 그곳에서 제시한 조건이 꽤 마음에 들었다. 당장 면접을 보러 갔다.

"저희 회사는 공공기관 및 연구원에서 진행하는 연구 성과집, 사례집, 사보 등을 입찰받아 글, 사진, 디자인, 출판까지 진행하는 곳입니다. 글로리 씨 이력을 보니 저희 회사에서 진행하는 일들에 대한 경험이 있으시더군요."

"감사합니다. 진행하시는 일들이 제가 했던 일과 비슷해서 무척 반갑고 잘할 수 있을 것 같다는 생각이 들었습니다. 그런데 제가 지금 원하는 일이 정규직은 아닌데 괜찮을까요?"

"네, 어차피 글 쓰는 일이라 재택으로 하셔도 무방합니다. 취재기자와 사진기자가 따로 있거든요."

대박! 내가 찾던 일이었다. 재택근무인데 회사 소속으로 일할 수 있어 무척 안정적으로 느껴졌다. 물론 월급 체제는 아니고 맡은 일이 마무리될 때마다 원고료를 받는 시스템이었다. 그래도 이게 어딘가 싶었다. 그렇게 나는 또 재택근무를 이어갈 수 있게 되었다.

그러나 대부분의 일이 그렇듯 장점만 있는 것은 아니었다. 시간을 자유롭게 쓸 수 있다는 장점은 있지만, 피드백과 소통이 바로바로 되지 않아 다시 해야 하는 경우가 종종 발생했다.

농촌으로 귀농귀촌하신 분들을 취재해, 사례집을 만들 때였다. 나는 취재기자들이 인터뷰하신 파일을 전달받아 듣고 글을 써야 했다. 그런데 어떤 파일은 너무 작게 녹음되어 안 들리고, 어떤 파일은 심하게 사투리를 써서 무슨 말을 하는 것인지 해석조차 되지 않았다. 또 귀농귀촌 이야기가 아니라 신세한탄만 녹음된 파일도 있었다. 이 파일들을 듣고 나는 그럴듯한 사례집으로 만들어야 했다.

무에서 유를 창조해내는 일이란 매우 버거운 일이었다. 그래도 해야 했다. 왜냐하면 나는 그 파일을 전달받아 글을 만들어내는 사람으로 채용되었기 때문이다.

직장이라면 다른 동료와 나눠서 할 수도 있겠지만, 나는 프리랜서였다. 내가 못한다고 하면 또 다른 사람을 채용해 맡기면 그만이었다. 이게 프리랜서의 어려움이다. 어렵고 힘들어도 못한다고 말할 수 없는 것.

그럼에도 불구하고 자유롭게 시간을 활용할 수 있는 프리랜서로 일할 수 있음이 좋았다. 그것도 글 쓰는 일로.

09-1. 취재기자에 대하여

돌이켜보니 나도 취재기자였다. 대학교 산하 기관인 학보사에서 학교 행사와 현황에 대해 자료 수집을 하고 관련 인물과 인터뷰를 했다. 또 사진기자가 동반하지 않는 경우 사진도 찍었고, 동아리방으로 돌아와 기사도 썼다.

연구소 사보 및 웹진 기자로 일하던 시절에도 취재를 하고 기사를 썼다. 주로 연구소 관련 직원 분들을 인터뷰했고, 특별기획이면 외부에 계신 분들과도 인터뷰를 했다. 그러나 나는 단 한 번도 내가 취재기자였다고 소개한 적이 없다. 왜 그랬을까 곰곰이 생각해보았다. 그 결과, 나 또한 취재기자에 대한 선입견이 있음을 깨달았다. 취재기자란 무거운 카메라를 들고 범죄 혹은 정치 현장에서 날카로운 질문을 던지는 사람일 것으로만 생각한 것이다.

옆에 있는 남편에게 취재기자는 뭐하는 사람 같으냐고 물어봤다. 그랬더니 '그것이 알고 싶다'와 같이 숨겨진 사건을 파헤치는 일을 하는 사람 아니냐고 그런다. 그렇다. 많은 사람들이 알고 있는 취재기자의 이미지는 사건 현장을 취재하는 사람이다.

취재기자란, 꼭 사건 현장이 아니어도 사람들이 궁금해하거나 알아야 할 권리가 있는 곳에 찾아가 인터뷰를 하고 자료를 수집해 기사를 쓰는 모두를 뜻한다. 사건 현장뿐만 아니라, 문화예술의 현장, 스포츠 현장, 행사 현장, 인터뷰 현장 등 다양한 곳에서 취재를 하는 것이다.

그러나 때로는 취재만 하는 기자와 기사만 쓰는 기자로 나눌 때도 있다. 나의 경우, 출판사 소속으로 기사만 쓰는 기자로 활동한 바 있다. 취재기자가 인터뷰를 해오면 내가 녹음파일을 듣고 기사를 작성하는 것이다. 이는 회사의 여건에 의해 취재기자와 기사 쓰는 기자로 나눈 경우다. 덕분에 재택으로 일할 수 있어 좋았지만, 직접 인터뷰를 하지 않아 현장 상황을 완전히 이해하기까지 많은 시간이 필요했다.

직접 취재를 하러 가면, 취재원에게 묻고 싶은 질문을 마음껏 할 수 있다. 그리고 녹음을 하든지, 수첩에 적든지 나만의 방식으로 기사의 초안을 마련해야 한다. 실제로 나는, 취재원을 만나기 전에 미리 질문지를 만들었다. 그리고 질문지를 취재원의 이메일로 미리 보내 답변을 준비할 시간을 드렸다. 그럼 직접 만났을 때 취재원의 질문에 더 정확한 답변을 해준다. 이는, 양쪽 모두 만족스러운 결과물을 만드는데 도움이 된다.

언론사의 중역에 계신 어떤 분이 하신 말씀이 떠오른다. '취재를 잘 하지만 기사를 못 쓰는 기자가 있고, 기사는 잘 쓰는데 취재를 잘 못하는 기자가 있다'라고 말이다. 그리고 둘 다 잘하는 기자를 찾는 것은 무척 어려운 일이라고 했다. 나 또한 기사를 최고로 잘 쓰는 기자는 아니지만 인터뷰를 듣고 글로 만드는 데는 자신 있었다. 하지만 전국 곳곳으로 취재를 하러 다닐 수 있는 여건이 못 되었다. 아이를 키우고 있었고, 운전도 서투른 편이기 때문이다.

만약, 사람들과 만나 소통하는 과정을 좋아하고 대화를 부드럽게 잘 이끌어가는 재능이 있다면, 게다가 글까지 잘 쓸 수 있다면 '취재기자'로 도전해볼 것을 추천한다.

사람들과 만나 소통하고 글까지 쓸 수 있는 취재기자 경험은, 당신이 쓰게 될 미래의 글에 훌륭한 재료가 될 것이다.

10. 스스로 플랫폼 운영하기

언제부터인가 '크몽'이라는 프리랜서 마켓이 사람들 입에 오르내리기 시작했다. 자주 들어가는 프리랜서들의 온라인 모임에서도 '크몽'에서 일을 구했다는 말들이 나왔다. 호기심을 느낀 나는 당장 '크몽'을 검색해 들어가 보았다.

대박! 크몽은 그야말로 프리랜서로 활동하는 모든 업종의 사람들이 언제든 일할 수 있는 시스템을 갖추고 있었다. 디자인, 글쓰기, 기획, 마케팅, 레슨, 번역, 영상, 사진, 음향, 프로그래밍 등 재능을 가진 그 누구라도 가입 후 전문가로 활동할 수 있는 플랫폼이었던 것이다. 물론 크몽을 통해 모든 거래가 이루어지는 대신, 의뢰비 중 약간의 수수료를 크몽에서 가져가는 시스템이었다. 당장 가입을 하고 내가 교정해줄 수 있는 생활 속 글들에 대해 메뉴를 만들었다.

소비자가 크몽을 통해 자신이 원하는 서비스를 구하는 첫 번째 목표는 안전성이었다. 소비자가 결제한 금액을 크몽 측에서 전문가에게 바로 입금하지 않고, 일이 완료되었을 때 입금하는 형태였던 것이다. 그러나 누구든 원하면 전문가로 입점할 수 있는 시스템이라 가격 경쟁은 물론 누가 더 빨리 답변을 보내는 가도 수익과 연관이 되었다.

이를 잘 알지 못한 나는 크몽에 가입하고도 신경 쓰지 않고 있었다. 그런데 어느 날 갑자기 생각이 나서 들어갔다가 깜짝 놀랐다. 내가 신경 쓰지 않은 사이에 누군가 자신의 글을 수정 첨삭해주길 원하는 쪽지를 보냈는데, 응답이 없자 나가버린 것이다.

이때가 약 3년 전 있었던 일이다. 당시 나는 둘째가 너무 어려 핸드폰에서 울리는 알림 소리에 빨리 반응할 수 없었다. 그래서 크몽에서의 일을 재개하지 않았다. 신속히 반응할 수 있는 여건이 되지 않았기 때문이다. 언제든 신속히 응답할 수 있는 자세와 상황이 되는 사람이라면 크몽을 통해 글쓰기 일을 구하는 것도 좋을 것 같다.

한편, 크몽의 성공을 보며 씁쓸한 마음도 있다.
사실 나는 지금으로부터 13년 전, 그러니까 결혼 후 첫째 아이를 낳고 일을 마음껏 할 수 없음에 답답함을 느껴 다음 커뮤니티에 글을 수정해주는 카페를 만든 적이 있다. 처음에는 누구라도 의뢰하면 좋겠다는 마음으로 시작했다. '과연 누가 글을 내게 맡길까?' 하는 의구심이 들었지만, 한 달 만에 자신이 쓴 연애편지를 고쳐달라는 의뢰가 들어왔다. 첫 의뢰를 받고 너무나 신기해서 아이를 재우고 몇 시간에 걸쳐 고쳐준 기억이 있다. 물론 내가 들인 노력에 비해 터무니없이 적은 원고료를 받았지만 꽤 보람 있었다. 지금도 다음 카페를 통해 일이 간간히 들어오고 있다.

만약, 내가 영업과 마케팅에 조금 더 관심을 갖고 신경을 썼더라면 '크몽과 같은 프리랜서 마켓이 되어있지 않았을까' 하는 상상을 조심스레 해본다. 그리고 스스로 플랫폼을 만들어 운영하는 것 또한, 글 쓰는 일을 지속적으로 할 수 있는 방법 중 하나라는 확신을 하게 되었다.

누군가는 포털 사이트 검색 광고를 권했다. 카페나 사이트를 만들어 포털사이트에 돈을 내고 검색 광고를 하면, 홍보 효과가 있는 것이다. 해보고 싶은 마음도 있으나, 워낙 의심과 조심성이 많아 고민만 하고 있다. 그리고 기우일 수 있으나, 마케팅에 대해 잘 알지도 못하고 덤볐다가 난관에 부딪힐까 두려운 마음도 있다. 이는 조금 더 알아보고 시작할 계획이다.

다만, 최근에 노력하고 있는 것이 있다면 '블로그 키우기'다. 블로그에 '글 쓰는 사람'이라는 제목을 달고, 하루에 한 번은 포스팅을 하려 노력한다. 그리고 나와 같은 관심사를 가진 분들에게 먼저 다가가 이웃 신청을 하고 있다. 언젠가는, 마음먹고 이웃 신청을 했는데 하루에 80명의 이웃이 느는 경험을 한 적도 있었다.

대한민국의 많은 사람들이 즐겨 사용하는 포털 사이트 중 하나가 '네이버'이고, 그중 '네이버 블로그'는 많은 사람들에게 신뢰를 받고 있다. 물론 광고의 방편이 되는 것에 불편해하는 사람도 있으나, 블로그 특성상 무조건적인 광고가 아니라 정보를 함께 담고 있어 여전히 많은 관심을 받고 있다.

그래서 나도 블로그를 키워보기로 결심했다. 혹자는 요즘의 MZ

세대는 유튜브를 통해 검색하고 그 안에서 정보를 얻는다고 블로그가 '지는 해'라고 말한다. 하지만 나 역시 유튜브로 검색을 해보았으나 광고가 주는 피로감과 영상을 보느라 시간을 많이 빼앗기는 것에 불편함을 느꼈다. 반면, 블로그는 글을 스크롤하며 내가 원하는 정보만 신속히 취하고 나갈 수 있는 장점이 있었다.

여기서 블로그의 존재 가능성을 발견했다. 영상으로 정보를 얻고 싶은 사람과 글로 정보를 얻고 싶은 사람이 각각 존재하기 때문이다. 더욱이 블로그는 사진과 영상도 글과 함께 올릴 수 있다. 때문에 블로그가 유튜브 때문에 '지는 해'가 될 것이라는 의견에 동의하지 않는다.

글 쓰는 일을 구하는 방법 중 하나로, '스스로 플랫폼 만들기'를 제안한다. 13년 전 만든 '다음-카페'의 첨삭 플랫폼에서 종종 일이 들어오고 있다. 주로 2~3페이지 정도의 짧은 생활 글이라 크게 어렵지 않다. 그러나 '다음-카페'보다는 '네이버-블로그'의 접근성이 더 좋아, 블로그를 키우겠다는 결심을 하게 되었다.

적극적으로 방법을 찾아 나선다면 여러분들 중 그 누군가는 프리랜서 마켓인 '크몽'보다 더 영향력 있는 플랫폼의 창립자가 될 수도 있다. 나 또한 그 주인공이 되길 바라며, 부지런히 블로그 포스팅을 하고 있다.

10-1. 홍보에 대한 단상

'홍보'와는 전혀 연관성이 없는 삶을 살 것이라고 생각했다. 홍보라는 단어가 왠지 물건을 팔아야 할 것 같은 느낌을 줬기 때문이다. 나는 물건 파는 일을 할 생각이 없고 관련 직업을 꿈꾼 적도 없다. 그래서 홍보와는 무관한 삶을 살 것이라 생각했다.

결론부터 말하자면, 현재 나는 '홍보'와 매우 밀접한 삶을 살고 있다.

시간이 날 때마다 둘째 아이 한글 가르치는 과정을 브런치에 올렸었다. 꽤 분량이 되었는데 그 글들을 모아 출판사와 정식 계약해 출간하기까지는 시간이 아주 많이 걸릴 것 같았다. 하지만 나는 확신했다. 누군가는 한글 가르치는 부모의 마음가짐과 지극히 개인적이지만 그 교육방법에 대해 궁금해할 것이라고 말이다. 그래서 직접 출판사 등록을 해서 '쉽고 편한 아둘맘의 한글교육'이라는 제목으로 전자책을 내고, 부크크를 통해 종이책을 내는 경험도 해보았다. 부크크는 POD 방식으로 책을 내도록 도와주는 곳이다. 그러니까 소비자가 책을 주문하면, 그때 책을 제작하는 것이다.

하지만 책을 내는 것이 전부가 아님을 알았다. 책을 만들었으면 팔아야 한다. 그런데 경험이 없으니 대체 어디에 홍보를 해야 할지, 어떻게 팔아야 할지 대책이 없었다. 더욱이 부크크를 통해 만드는 POD 형식의 책은 오프라인 서점에 입점시키기 어려웠다. 이래저래 이윤이 안 남는 것이다. 그래서 인터넷 서점으로만 팔아야 하는데, 홍보할 곳이 마땅치 않았다. 현재로서는 포털사이트 카페 등에 누군가 관련 질문을 하면 책을 추천해주는 정도의 홍보만 하고 있다. 신기하게도 조금씩 팔리기는 한다.

책을 출판한 뒤, 인스타그램을 시작하고 개인 블로그에도 책 홍보를 시작했다. 이쪽 분야 역시 처음이라 맨 땅에 헤딩하는 기분이다. 혹, 홍보와 마케팅에 뛰어난 실력을 가진 분이 계시다면 당장 달려가 배우고 싶은 심정이다. 인생은 정말 어디로 튈지 모르는 축구공 같다. 글 쓰는 일만 하면서 살겠다는 생각으로 살았는데, 어느새 홍보와 마케팅도 잘 해내고 싶어졌으니 말이다.

생각해보니 글 쓰는 일을 구하는 것도 결국은 나를 홍보하는 일이었다. 나의 재능을 알아달라고 포트폴리오를 만들고 경력을 쌓고 있으니 말이다. 그렇게 따지면, 이 세상 모든 사람들은 홍보와 관련이 있다. 누구나 자신의 능력을 혹은 자신의 물건을 홍보하는 입장에 서게 되기 때문이다.

어렵다고 생각하면 할 수 있는 일이 없다. 어렵지만 도전하고 용기를 내어 노크를 해야 한다. 나 역시 글 쓰는 작가를 희망하는 가운데, 우연히 출판과 관련된 책을 읽고 시작을 했다. 낯선 분야라 두렵고 어렵게 느껴졌다. 그러나 이 또한 글 쓰는 일을 지속적으로 하는데 필요한 과정이라 생각하니 마음이 편해졌다. 물론, 여전히 나는 부족하다. 그러나 그 부족함을 깨달아가며 계속 성장해나갈 마음자세가 되어 있다. 그 여정에, 글 쓰는 직업을 희망하는 여러분이 함께 해주면 든든할 것 같다. 같이 하면 더 힘이 세질 테니 말이다.

chapter 3. 글 쓰는 일의 어려움

01. 스물네 살 어린이가 경험한 뜨거운 맛

음료수를 뽑아 먹듯 버튼을 누르면, 작은 책이 자판기 안에서 나오는 시스템이 막 시작된 시점이었다. 내게 전화를 걸어온 그 작은 출판사는 나를 만나보지도 않고 원고를 바로 쓰자고 했다. 어떻게 내 번호를 알았는지 묻자, 취업사이트를 통해 공개된 번호로 전화했다고 했다.

"죄송하지만, 제가 책 원고를 써 본 적이 없어요. 그래도 괜찮을까요?"

"글쓰기 잘하는 사람들은 인터넷 자료만 보고도 잘 쓰시더군요. 글로리 씨도 잘할 수 있을 것 같은데요? 말이 되게만 써주시면 저희가 다 알아서 편집해서 만듭니다. 그러니 걱정하지 마시고 해 보세요."

그쪽에서 제시한 원고료는 매우 형편없는 수준이었다. 하지만 감내할 수 있었다. 이력서에 한 줄이라도 더 쓸 수 있는 경력이 된다면, 그것만으로도 충분히 의미가 있다고 생각한 것이다.

처음에는 '회사원이 돈 아낄 수 있는 방법'에 관한 내용을 작성하라고 했다. 꽤 흥미 있는 주제라 즐거운 마음으로 시작할 수 있었다. 하지만 내가 경험 것만으로 쓰기에는 무리가 있어, 인터넷 검색을 하고 도서관에서 비슷한 책을 빌려 읽으며 글을 쓰기 시작했다. 나는 재미있게 작성했지만 담당자의 생각이 다를 수 있어, 5페이지 정도 보내보았다. 그랬더니 담당자는 잘하고 있다며 계속 정진하라고 격려를 해주었다. 성격도 손도 빠른 나는 일주일 만에 작업을 완료해서 보냈다. 그런데 담당자가 연락이 없었다. 분명 수신 확인이 되었는데 말이다. 스물네 살의 나는, 내 글이 형편없어 담당자가 충격이라도 받은 것이 아닐까 걱정이 되기까지 했다.

일주일이 지나고 담당자에게 전화가 왔다. 이전에 보낸 글은 기획이 무산되었단다. 미안하단다. 책이 나오지 못했으니, 원고료는 줄 수 없단다. 그리고 이제는 '와인'에 관한 단행본을 만들어 보잔다. 스물네 살의 나는 무척 혼란스러웠다. 무척 부당하고 억울한 상황이라는 생각, 여기서 멈춰야 한다는 생각, 원고료를 달라고 강력하게 말해야 한다는 생각들이 스쳤다. 그러나 어리석게도 '내 이름이 찍힌 책'만 나온다면, 돈을 받지 못해도 괜찮다고 결론을 내렸다. 당시의 나는 스펙을 쌓겠다는 마음이 더 컸기 때문이다. 그렇게 또 2주일 동안 목차를 구성하고 자료를 모아 단행본을 썼다. 주로 기존의 책과 인터넷 자료를 참고해서 썼지만 완벽하게 재구성하고 리라이팅 했기에 문제는 없었다.

문제는, 그 출판사였다. 전화를 끊으려는 담당자를 붙잡고, 모기만 한 소리로 원고료를 언급했다. 담당자는 당장 줄 수는 없지만 원고지 1장당 천 원으로 쳐줄 것이고, 인세도 줄 예정이란다. 전화를 끊고 탈고를 했다는 상쾌함에 밀린 잠을 잤다. 그렇게 한 달이 지났다.

그 사이 스물다섯이 된 나는, 출판사에서 연락조차 없음에 비참해하다가 자리를 훌훌 털고 일어나 거리로 나갔다. 몇 정거장을 걸었는지 모른다. 겨울이라 칼바람이 불었고, 주머니에는 천 원짜리 몇 장만 굴러다녔다. 커피숍과 식당가를 지날 때면 그 안에서 화목하게 웃는 사람들의 얼굴이 더 빛나 보였다. 세상에 불쌍한 인간은 오로지 나뿐인 것 같았다.

'젊어서 고생은 사서도 한다.'는 말이 떠올랐다. 웬만하면 고생 따위는 하고 싶지 않은데, 의지와 달리 고생을 하고 있었다. 의도한 결론과 고생이 아니라 더 서글펐다.

전화를 해봤자 받지 않을 출판사를 잊기로 했다. 돌이켜보면 그들은 내 번호를 수신거부했던 것 같다. 아무리 해도 받지 않는 것으로 보아서 그렇다. 아니면 폐업을 했거나.

많은 생각이 스쳤다. 그들은 힘없는 나를 이용해 그 흔한 열정페이도 지급하지 않고 자료조사원으로 부려먹었다. '계약서 한 장만 있었어도 괜찮았을까?' 아니, 계약서가 있었어도 나는 그냥 당해줬을 것이다. 그깟 돈 몇 푼 받자고 소송을 걸어봤자, 변호사 선임 비용이 더 많이 나갈 것을 알기에.

내가 원한 것은 원고료가 아니라 스펙이었다. 적은 분량의 단행본이라도 출판한 작가가 된다면, 나의 다음 행보가 더 멋진 곳으로 이어질 것이라고 예측한 것이다. 그런데 그 예측과 기대가 무너졌고, 나는 한동안 좌절했다.

글 쓰는 일을 하고 싶었던 스물네 살의 나는 세상이 준 뜨거운 맛을 보았다. 마흔이 넘은 지금도 그 일을 생각하면 가슴이 아프다. 돈 때문이 아니다. 상처 받았던 스물네 살의 나 때문이다. 처음으로 내가 택한 '글 쓰는 삶'을 후회했던 것 같다. 그러나 그때뿐이었다. 나는 다시 훌훌 털고 일어나 공모전에 도전했고 글 쓰는 일을 찾아다녔다. 그리고 '돈'과 '계약서'에 대해 조금은 더 꼼꼼하고 세심하게 마주하기 시작했다. 그렇게 나는 성장하며 나아갔다.

♥ 낯선 분야에서 첫 시작을 하는 사람의 마음은 말랑말랑하다.
그 말랑말랑한 밀가루 반죽에 누군가 훅! 하고 주먹을 날리면,
다시 원래의 형태로 부풀어 오르는데 시간이 필요하다.
그런 일들이 반복되면 노련해지겠지만,
처음 몇 번은 회복의 시간이 꽤 필요하다.

누구나 처음은 있다. 그 처음을 비난할 사람은 없다.
오히려 처음이라 그렇다며 이해해준다.
상대방도 당신이 처음인 것을 알고 그 일을 맡겼다.
그러니 너무 움츠려 있지 말고 요구할 것은 당당히 요구하자.

계약서 쓰자는 말 꼭 하자. 원고료가 적다는 말 꼭 하자.
힘들다는 말 꼭 하자. 부당하다는 말 꼭 하자.
그 정도 말을 한다고 당신을 내친다면, 묵묵히 잘해도 내칠 상대였다.

요구는 당당히! 맡은 일은 열심히!

02. 프리랜서와 돈

글 쓰는 일이 아니면 다른 일은 하지 않겠다고 버티던 20대의 나는 몇 달 간의 백수 시절을 보내고 있었다. 다행히도 원룸이 전세라 먹는 것만 해결하면 경제적으로 큰 문제는 없었다. 다만, 하루가 십 년처럼 길고 힘든 것이 문제였다. 한창 일할 나이에 집에 있으니, 답답한 것은 물론 미래가 불투명하고 불안했다. 어떤 날은 너무 힘들어서 동네 놀이터에 나가 혼자 그네를 타기도 했다. 그마저도 힘들면 근처 대학교 도서관에 가서 하루 종일 책을 읽었고 그마저도 힘들면 잤다. 가끔 엄마한테 전화가 오면, 일하는 중이라고 서둘러 전화를 끊었다. 오래 통화하면 툭! 울음이 터질 것 같았기 때문이다.

출퇴근할 수 있는 일을 구하기 전까지 재택근무로 할 수 있는 일을 하기로 마음먹었다. 하루에도 수십 번 취업사이트에 접속해, 재택근무로 할 수 있는 일이 있는지 찾는 것이 하루 일과였다. 지성이면 감천이라는 말이 통했는지, 전화가 여러 군데서 왔다. 물론 전화가 왔다고 모두 일로 연결되는 것은 아니다. 어떤 경우는 샘플 작업 후 결정하겠다고 하고, 터무니없는 열정 페이를 지급하려는 곳도 많았다. 어떤 경우는 내가 쓴 글로 서비스를 해본 후 성과가 좋으면 성과급으로 지급하겠다는 제안을 했다. 글 쓰는 일이 생각보다 대우가 좋지 못함을 깨달았던 순간이다.

그러던 중, 집과 가까운 곳에 위치한 회사에서 '홍보영상 시나리오'를 작성해달라는 제안을 받았다. 홍보영상 시나리오는 처음이라고 말했지만, 실장이라는 사람이 '글 쓰는 사람은 웬만큼 다 할 수 있는 일'이라며 자신감을 심어줬다. 그 말에 용기를 얻은 나는 면접 겸 회의를 하러 회사에 방문했다.

회사에는 연출과 촬영감독 몇 명이 있었다. 그들은 회의실에 나를 앉혀두고 자신들이 할 사업에 대해 설명했다. 잘 해내고 싶은 일이었다. 하지만 홍보영상 시나리오 작성을 해본 적이 없는 것이 문제였다.

실장님에게 이전에 작업하신 분의 시나리오를 볼 수 있느냐고 물었다. 실장님은 조금 답답하다는 표정으로 미간을 찌푸리며 말했다.

"우리가 줄 수 있는 것은 없어요. 이전에 하신 분들 시나리오가 있긴 한데, 영 별로였어요. 글로리 씨만의 특색이 담기게 자유롭게 써보세요. 우리는 새로운 형태를 원하고 있거든요."

실장님 말에 일리가 있었다. 이전에 작성한 시나리오를 보면 그와 비슷한 형태로 써 내려갈 확률이 높기 때문이다. 이야기를 다 마치고, 문 앞을 나오며 나는 작은 목소리로 물었다.

"그런데, 계약서는 안 쓰나요?"

"계약서? 우리는 그런 거 안 써요. 무슨 일 생기면 여기 사무실로 와요. 매일 출근해서 쓰셔도 되고."

명쾌한 답은 아니었지만, 시원시원하고 호탕한 실장님의 답변을 믿어보기로 했다. 솔직히, 그 분위기에서 계약서를 쓰겠다고 고집 부리기도 어려웠다.

1차로 나름의 시나리오를 작성해 메일로 보냈고 피드백은 2주나 훌쩍 지나고야 답변이 왔다. 답변은 자신이 생각한 콘셉트와 너무 동떨어져 도저히 쓸 수 없다는 내용이었다. 대신, 다른 프로젝트를 하자고 했다. 이번에는 직접 출장을 가야 한다고 했다. 기분이 나빠지기 시작했다. 그러나 '이쪽 일이 그럴 수도 있는 건데, 내가 초짜라 이해를 못하는 건가' 하는 생각이 들었다.

몇 날 며칠 잠이 오지 않았다. 아무리 생각해도 이용당하는 기분이었다. 그래서 용기를 내 전화를 걸었다.

"죄송한데요. 오늘 출장은 못 갈 것 같아요. 저는 원하시는 콘셉트대로 시나리오를 써서 보내드렸는데, 수정 요청도 없이 무조건 쓸 수 없다고 하시니 이해도 안 가요. 소정의 원고료라도 받아야 오늘 출장을 갈 수 있을 것 같아요."

몇 날 며칠을 고민했던 부분이라, 속사포처럼 쏟아냈다. 실장은 잠시 침묵하다가 '잠깐만요.' 하더니 전화를 끊었다. 그렇게 두 달 동안 연락이 없었다.

두 달 동안, 나는 참 많은 생각을 했다. 생각 끝 결론은, '나는 큰 일 날 뻔했다'였다. 출장까지 따라가 쓴 시나리오를 또 같은 방법으로 취소당할 뻔했는데, 미리 피했다는 안도감마저 들었다.

이후 누구와 어디서 어떤 일을 하든, '돈'부터 물어보는 습관이 생겼다. 특히, 계약서는 꼭 쓰자고 했다. 친구 말로는 계약서를 써도 '날강도 짓 하는 회사'가 많다고 했다. 계약서의 작은 글씨들 속에 얼마든 빠져나갈만한 멘트가 많다는 것이다. 일을 제안해주는 것만으로도 감사해하는 나 같은 프리랜서들은, 계약서 속 글들을 하나하나 따져가며 계약하기가 어렵다. 망설이는 사이, 다른 사람에게 넘어갈 확률이 매우 높으니까.

글 쓰는 일을 하며 속상했던 일의 대부분은 돈 때문이었다. '돈'에 대한 문제를 확실히 해두지 않으면 꼭 문제가 생겼다. 그래서 나는 일을 시작하기 전에 돈을 얼마나 줄 것인지, 어떻게 정산해줄 것인가를 묻는다. 덕분에 '돈'을 밝히는 사람으로 오해받기도 했다. 그러나 돈으로 억울한 일을 당하지 않아야, 오랫동안 프리랜서로 존재할 수 있다. 나 또한 몇 번의 시행착오를 겪었지만, 이제는 돈 문제를 확실히 하고 일을 시작한다.

또, 몇 번의 피드백을 했을 때 상대방과 대화가 잘 통하지 않는다면 중간에 그만둘 수 있는 용기도 발휘해야 한다. 글 쓰는 일은 함께 일하는 사람과 코드가 맞아야 한다. 내가 생각한 업무 방향과 다른 생각을 가진 사람과 일하는 것은 아주 오랫동안 불행할 수 있기 때문이다.

물론, 충분한 대화를 통해 어떻게든 그 일을 잘 완료하고 싶다면 노력해야 한다. 그러나 불확실한 성과를 바라보며 나아가는데, 함께 일하는 담당자마저 업무 방향이 맞지 않으면 중간에 그만두는 것도 지혜롭다.

우리는 몇 번의 시도로 알 수 있다. 대화로 해결할 수 있는 일인지 아닌지. 그 누구도 손해를 입기 전에 멈추자. 그리고 새로운 길을 모색하자. 그것이 내가 글 쓰는 일을 하면서 터득한 지혜라면 지혜다.

♥ 최근, 어느 회사에서 함께 일을 하자고 제안해 직접 본사까지 갔다.
한참 설명을 듣고, 재미있을 것 같아 하고 싶다고 했다.

그런데 원고료가 너무 낮았다.

일에 집중하는 시간과 난이도에 비해 낮은 원고료를 제안한 것이다.

일부러 회사까지 방문했는데 그렇게 나오니 무척 서운했다.

결국 이 회사와 나는 해당 업무를 같이 하지 않기로 했다.

늘 일거리를 찾아 헤매야 하는 프리랜서지만, 후회하지 않는다.

회사는 제 몫을 당당히 요구하는

작가 한 명을 보았을 테니 말이다.

03. 시선의 차이

누가 봐도 잘 쓴 글, 누가 봐도 못 쓴 글이라면 쉽게 수긍할 수 있다. 그러나 누군가는 잘 썼다고 하고, 누군가는 별로라고 한다면 그 글은 '시선의 차이가 있는 글'일뿐, 결코 못쓴 글이 아니다.

실제로 어느 드라마 작가는 몇 년 전에는 예선도 통과하지 못한 글을, 글자 하나 고치지 않고 제출했는데 붙었다는 고백을 했다. 이 내용을 접하고, 참 많은 생각이 들었다. '실력이 아니라 운인 건가?'

시대의 흐름이란 것이 존재한다. 시대의 흐름 속에는 그 시대를 살아가는 사람들의 필요가 반영된다. 10년이면 강산도 변한다는 말처럼, 시대가 흐르며 문화 콘텐츠든, 건강상식이든 상황에 맞게 변하는 것이다.

글도 마찬가지다. 읽는 사람의 컨디션이나 가치관, 사회적 이슈 및 흐름에 따라 누구나 환호하는 글, 비추하는 글이 될 수 있다. 한마디로 운이다.

출판사와 교정교열 업무를 하던 시절, 중간관리자와 소통할 때는 분명 '잘하고 있다. 이대로 하시면 금방 마무리될 것 같다.'라는 평을 받았다. 그런데 마무리 단계에서 갑자기 뒤집어졌다. 잠자코 있던 대표가 '용납이 안 되는 내용이다. 다시 바꿔라.'라고 개입을 한 것이다. 답답한 상황이었다. 중간관리자 탓으로 돌리자니 대표에게 일러바치는 모양이 되고, 가만히 있자니 능력 없는 사람이 되어버리니 말이다. 나는 재택으로 일하지만, 중간관리자와 대표는 매일 출근해서 얼굴을 보며 일할 것이 아닌가? 어쨌거나 나는 그들에게 고용된 프리랜서이고.

대표가 지시한 대로 고치고 있는데, 전화가 왔다. 중간관리자가 개인 사정으로 회사를 옮겼단다. 그러니 앞으로 이 일은, 대표와 직접 소통하잔다. 6개월 동안 중간관리자의 지시에 따라 일을 해왔는데 말이다. 뜨거운 불이 눈앞에 있는 것처럼, 막막했다.

문제는 중간관리자와 대표의 스타일이 매우 다르다는 것이었다. 중간관리자는 나의 업무 스타일을 무조건 지지해주며 잘하고 있다고 했다. 서로 업무 코드가 맞은 것이다. 하지만 대표는 마음에 들지 않는다고 다시 하라고 했다. 그렇게 다섯 번의 피드백이 오고갔다. 결국 여섯 달 안에 끝날 줄 알았던 업무는 일 년 만에 마무리되었다. 물론 출판사 대표와 나의 치열한 신경전, 끊임없는 소통과 피드백이 있었다. 어떤 날은 내 실력이 부족한 게 이유라면 그만두고 싶다는 나약한 생각까지 들었다. 하지만 그만두려고 해도 그만둘 수 없었다. 작업을 중간에 포기하면 잔금은 물론 손해 배상이 청구될 수도 있다는 계약서 때문이다. 그 무시무시한 계약서 덕에 나는 끝까지 인내하며 마무리 지을 수 있었다.

돌이켜보면 참 안타까운 일이었다. 중간관리자와 코드가 맞아 꽤 많은 분량을 작업한 나, 중간관리자 믿고 있다가 살펴보니 마음에 들지 않았던 출판사 대표였으니 말이다. 이를 알기에 서로를 참아주며 끝까지 함께 소통해 한 권의 책을 탄생할 수 있었던 것 같다.

물론, 대표가 다시 수정하라고 할 때마다 내 능력이 부족한 것은 아닌지 많이 생각하고 반성했었다. 심지어 글 쓰는 사람들 사이에서 유행이라는 '내 글 구려병'에 걸리기도 했다. 아무리 고쳐도 통과가 안 되니, 결국은 모든 게 나의 몹쓸 실력 탓으로 여겨졌다. 그러나 몇 년의 시간이 지난 지금, 그때 작업했던 글을 파일에서 꺼내 보는데 결코 내 실력의 문제만은 아니라는 생각이 들었다.

그것은 시선의 차이였다.
내 글이 문제가 아니라 내 글을 바라보는 사람의 시선, 수준, 환경, 성격, 경험에서 비롯된 것이었던 게다.

어떤 이는 짧고 담백한 글을 좋아하고, 어떤 이는 미사여구가 많고 긴 글을 좋아한다. 어떤 이는 서사를 좋아하고, 어떤 이는 인물간의 대사를 좋아한다. 어떤 이는 서정적인 글을 좋아하고 어떤 이는 현실이 반영된 글을 좋아한다.
그래서 글은 읽는 이의 시선에 따라 빛날 수도, 영원히 사라질 수도 있는 것이다.

♥ 숱한 공모전에 응시하며, 당선작을 많이 읽었다.
읽는 동안 '왜? 이 글이 뽑혔을까?' 의아하게 생각한 적이 있었다.

아무리 봐도 평범하고 뽑힐 만한 이유를 찾기 어려웠다.

물론 너무나 뛰어난 발상과 실력으로 무장한 당선작도 많다.

그러나 그 반대의 글이 뽑힌 것에 대해서는, 그저 심사위원들의 성향과

잘 맞아떨어졌다는 결론을 낼 수밖에 없었다.

어디까지나 개인적인 생각이니 오해가 없었으면 좋겠다.

아무튼 나처럼 '내 글 구려 병'에 걸린 사람이 있다면 말해주고 싶다.

"시선의 차이일 뿐, 못 쓴 글이 아니에요.
언젠가는 당신의 글이 반짝반짝 빛날 때가 올 겁니다."

04. 징징대지 말고 씩씩하게

저녁 6시, 전화가 왔다. 진행하던 책자의 담당자였다.

국을 끓이던 나는 급히 가스를 끄고, 다섯 살 아이가 보고 있는 TV 프로그램의 볼륨을 3단계 더 높여주었다. 그리고 얼른 베란다로 나와, 편안한 목소리 톤으로 전화를 받았다. 담당자는 매우 격양된 목소리였다.

"글로리 씨가 빨리 해줄 일이 있는데, 가능해요? 우리 1회부터 4회까지 회의한 내용, 파일 하나 보내드릴 테니 보내드린 형식에 맞게 정리 좀 해주세요. 기관장님께 1차적으로 보고해야 할 문건이니, 신경 좀 써주시고요. 내일 아침까지 꼭 해주셔야 해요."

"네? 제가요?"

황당해하는 내 마음이 그대로 표현되었다. 그러자 담당자는 갑자기 굉장히 권위적인 목소리로 변했다.

"글로리 씨? 이 부분은 글로리 씨가 하는 게 가장 효율적인 것 같은데?"

"죄송하지만, 저는 회의에 나온 내용이 책이 되도록 편집하는 역할만 하면 되는 것으로 알고 있어요. 그리고 기관장님께 문건을 보고하는 것은 그쪽 체계를 잘 몰라서 잘할 수 없기도 하고요. 이 부분에 대해 팀장님과 통화하신 건가요?"

담당자는 약 6초가량 말이 없었던 것 같다. 그리고 한숨을 푹 쉬더니 말했다.

"글로리 씨? 그냥 하라면 하세요."

내 귀를 의심했다. 하라면 하라고? 프리랜서인 내게 '하라면 그냥 하는 일'은 없다. 프리랜서는 협의된 일만 하는 사람이기 때문이다. 담당자와는 말이 통하지 않을 것을 예감했다. 결국, 나는 이 일을 진행하는 팀장님과 통화 후 다시 연락드리겠다고 하고 전화를 끊었다.

가슴이 두근거렸다. 직장생활을 할 때도, 내게 '그냥 하라면 하세요!'라고 말한 사람은 없었다. 어쩌면 조직 사회에서 흔히 있는 상황이지만 내가 처음 듣는 말일 수도 있겠다.

팀장님과 통화하며, 용역을 준 업체에게 종종 다양한 요구를 해올 수 있음을 이해했다. 문제는 나의 감정 상태와 입장이었다. 애초에 나는 프리랜서로 일하는 이유를 이 회사에 밝혔었다. 아이를 키우며 일을 하기에, 조직생활이 어려워 프리랜서로 일하게 되었다고 말이다. 협의된 일만 하는 프리랜서의 삶을 택한 이유를 분명히 말했고, 회사 또한 이해하고 나를 영입했다.

'글로리 씨? 그냥 하라면 하세요.'라고 명령조로 말하던 그 당당한 목소리가 한동안 머릿속을 맴돌았다. 담당자와는 한두 번 만난 사이였다. 그것도 일 문제로 두 번 정도 대화했던 것 같다.

작정하고 담당자를 이해해보기로 했다. 그 사람 또한 고위 간부의 명령으로 급하게 문서를 정리해야 했다 치자. 그런데 너무 바빴던 게다. 더욱이 문서를 정리하기에는 내용 이해도 부족하고 시간도 없었을 게다. 그래서 급하게 저녁 6시에 퇴근하며 프리랜서 작가인 내게 전화를 한 것이다. 문제는 이 작가가 고분고분하겠다고 하지 않는다. 퇴근길, 길은 밀리고 속이 탄다. 그래서 튀어나온 말이 '그냥 하라면 하세요'이었던 것일까?

'그를 이해하며 고분고분 들어주는 것이 옳았던 것일까? 프리랜서 작가는 그야말로 프리랜서라 맡은 일만 하면 되는 사람인데? 더욱이 하루가 마무리되는 저녁 6시였다. 너무 야박했을까? 그까짓 것, 좋은 게 좋은 거라고 어떻게든 해보겠다고 했으면 서로가 좋았을까?'

참 많은 생각이 들었다. 당시의 상황을 곱씹고 또 곱씹었다. 사실은 일부러 곱씹은 게 아니라 자꾸 떠올랐다. 내게 욕을 한 것도 아닌데 왜 자꾸 잊히지 않을까 생각해보니 부탁해야 하는 담당자가 너무도 당연하게 '요구'를 했기 때문임을 알게 되었다.

사람과 사람 사이에는 예의가 필요하다. 말투 하나, 눈빛 하나 상대방을 존중하는 모습이 있어야 한다. 특히, 자신의 일을 다른 사람에게 시킬 때는 간절하고 예의 바른 어투가 필수다. 더욱이, 나는 그 사람의 후배 직원이 아니었다. 엄연히 독립된 조직의 프리랜서 작가였다. 나는 그 일을 꼭 해야 하는 정규사원이 아니라, 초빙된 인재였던 것이다. 그런 나를 나이가 어리다고, 혹은 프리랜서 나부랭이라고(너무 비약했나?) 우습게 본 것은 아닐까?
혹여 내가 담당자의 후배 직원이라고 쳐도 그렇다. 상사가 부하에게 일을 시킬 때는 말투와 행동, 눈빛에 존중과 예의가 담겨 있어야 하지 않을까? '하라면 그냥 해!'가 아니라 '내가 급해서 그러니까 부탁 좀 드릴게요.'라고 말이다.

만약, 그 담당자가 내게 '부탁드립니다.'라는 표현을 했다면 나는 어떤 반응을 보였을까? 갈등 되지만 '부탁한다는데 한 번만 해주지 뭐'라는 마음으로 팀장에게까지 보고할 것도 없이 해냈을지도 모른다. '부탁'은 미안하지만 신세 좀 지겠다는 마음이 담겨있는 것이기 때문이다.

함께 일하는 동료 작가님께서 내게 부탁했다. 담당자가 실수한 게 맞지만, 그들의 일을 입찰받아 하는 우리가 을이기에 어떻게든 해줘야 하니 부탁 좀 하겠다고 말이다. 결국, 담당자가 상사에게 올려야 할 문서를 내가 정리해 보내야 했다.

하고 싶지 않았다. 그러나 내가 안 하겠다고 하면 여러 사람이 난감해질 것이 뻔했다. 그래서 해내고야 말았고 모든 것이 잘 마무리되었다.

잘 마무리되었다는 한 문장으로 표현하는 지금은, 그때의 일이 정말 아무 일도 아니었던 것으로 느껴지기도 한다. 하지만 당시의 나는 무척 힘든 시간을 보냈다. 그리고 모두를 위해 인내하며 아름다운 마무리를 했다. 그런 나를 칭찬한다.

♥ 프리랜서로 살아가길 희망하는 사람들은,

프리랜서가 되면 출퇴근이 정해져 있지 않아 편할 것이라

생각하는 경우가 많다. 실상을 들여다보면 그렇지 않다.

대개의 프리랜서에게는 기한 내에 해줘야 하는 일들이 들어온다.

그 기한 내의 일은 막강한 책임감과 완벽함을 요구한다.

때문에 프리랜서는 맡은 일을 마무리할 때까지 퇴근이라는 개념이 없다.

기한 내에 그 일을 해줘야 진정한 퇴근을 맞이할 수 있다.

이는 프리랜서를 선택한 사람이 감수해야 하는 부분이다.

물론, 미리 합의된 일인 경우에만 퇴근 없이 해낼 수 있다.

합의된 일이 아닌데 갑자기 엉뚱한 일까지 요구한다면,

조심스럽게 이야기하자.

그 일은 내 일이 아니라고.

꼭 해 드려야 한다면 원고료를 더 주시라고.

05. 글 쓰는 자의 능력과 한계

사보기자로 일하던 시절, 부장님 방으로 호출을 받았다.

"글로리 씨, 이번에 우리 기관 이름으로 책을 하나 낼 건데 초등학교 아이들이 볼만한 구성이었으면 좋겠어. 원본은 있어. 그런데 그 원본을 초등학생들이 재미있게 읽을 만한 내용으로 바꾸는 거야. 할 수 있겠어?"

생각지도 못한 제안이었다. 어떻게 대답해야 할지 많이 망설여졌다. '내가 과연 잘 해낼 수 있을까?'와, '이 일이 내 업무 범위인가?' 사이에서 고민을 한 것이다.
망설이는 나를 보고 부장님은 다시 힘주어 말씀하셨다.

"글로리 씨, 생각이 많은 것 같으니, 원본 책 가져가서 고민해봐."

부장님 표정이 매우 날카로워 보였다. 호불호가 확실한 분이셔서 말 한마디도 조심해서 잘해야 했다. 결국 나는 원본 책을 챙겨 들고 생각해보겠다며 서둘러 나왔다.

자리로 돌아와 원본을 넘겨보는데 숨이 턱턱 막혔다. 전혀 관심 없는 분야였다. 과학과 수학적 기호 그리고 이상한 그래프가 수시로 튀어나왔고 단어들 또한 생소해서 어떻게 해도 재미있게 고칠 자신이 없었다.

'이런 내용을 초등학생이 어떻게 재미있게 읽을 수 있지?'하는 생각뿐이었다. 한글문서를 열고 첫 내용을 고치려는데 전혀 진도가 나가지 않았다. 두 손을 자판에 올리고 멍하니 빈 화면만 보고 있는 나는, 한 시간쯤 지나고 울화가 치밀어 올라왔다.

그것은 내 능력의 한계에서 느껴지는 답답함이었다. 팀의 사보기자로 왔으면 이 정도 일은 해낼 수 있으면 좋으련만, 너무나 자신 없었다. 더욱이 수학과 과학은 담쌓고 살았던 나였기에 관련 내용을 초등학생이 읽어도 재미있게 고쳐내기란, 결코 쉬운 일이 아니었다. 물론 어찌어찌 억지로 하면 할 수도 있다. 그러나 그 어찌어찌 억지로 해내는 결과물이 부장님 마음에 들지 않는 것은 물론 초등학생도 읽지 않을 결과물이 될 확률이 높았다.

그럼 못한다고 말하면 되는데 이 또한 쉽지 않았다. 당시 나는 홍보팀 글 쓰는 사람으로 뽑혀 들어왔는데, 못한다고 하면 무척 실망하실 것 같았다. 어쩌면 '이것도 못 해내는 것이 말이 되느냐'고 반문할 것 같았다. 더욱이 최종면접 보던 당시, 부장님 및 여러 직원 분들께서 앞으로 글 쓰는 일은 글로리 씨가 다 하면 되겠다며 좋아했더랬다. 그랬는데, 이제 와서 이 일은 너무 어려워서 못한다고 하려니 면목이 없었다.
그때였다. 전화기가 울렸다. 부장님이었다.

"글로리 씨, 아직도 생각 중이야? 생각하지 마. 다른 사람이 하기로 했어."

복잡한 감정이 밀려왔다. 심장에 불꽃이 돌아다니는 것처럼 뜨끔뜨끔했다. 그리고 죄책감이라는 녀석이 소리쳤다. '한 번 해본다고 하지 그랬어? 왜 무조건 못 할 것이라 생각하니? 바보 같기는.'

결국, 그날 나는 말할 수 없는 답답함과 비참함을 온몸으로 느끼며 사보기자로서 계속 일할 수 있을지, 과연 잘 해낼 수 있을지 스스로를 의심하는 시간을 가졌다. 글 쓰는 일은 이처럼 내 능력 밖의 일로 괴로움을 느낀다. 또 글 쓰는 직업이란 어느 한 분야만 잘하면 되는 일이 아니었다. 때로는 감성을 자극하는 글을 써야 했고, 때로는 취재기자처럼 사진을 찍어야 했으며, 때로는 토크쇼 사회자처럼 분위기를 편안하게 리드해야 했다.

면접 볼 때 뭐든 자신감을 갖고 해내겠다고 말하던 나를 증명해야 하는 상황들은 근무하는 내내 있었다. 사실, 사보기자는 나도 처음이었다. 이전에 학보사 기자로 인터뷰를 해본 기억은 있지만 간단한 인터뷰였고 내용 또한 그리 어렵지 않았다. 그러나 연구소 사보기자는 연구원들의 연구 분야 및 비전, 목표에 대해 인터뷰해야 했기에 어떤 때는 외계인과 말하는 기분이 들기도 했다. 특히 연구에 깊이 몰두해 있는 연구원 분들은 오랫동안 집중해서 연구한 내용을 몇 시간 동안 설명하며 매우 신나 하셨다. 반면, 답변을 받아 적는 나는 무슨 말인지도 모르고 받아 적었다. 다행히도 자꾸 듣다 보면 외계어 같은 그 말들이 어느 정도 질서를 찾아, 어렴풋이나마 이해가 되었다. 그래서 겨우 인터뷰 형식의 기사가 완성되었는데 이 또한 연구원께 다시 보내 확인을 받다 보면 틀린 단어들이 꽤 있었다. 내가 그 연구 성과를 잘 알아듣지 못하는 것은 당연하다. 하지만 사보에 실릴 기사는 완벽해야 했고, 절대 틀리지 않아야 했다. 그러니 글 쓰는 일은 어려운 일이 틀림없었다. 그런데도 행복했다. 그 자리에서 그 일을 할 수 있음이.

한 번은, 사보의 한 꼭지에 실렸던 문화예술 관련 기사를 읽은 직원께서 내게 다가와 말씀하셨다.

"글로리 씨, 기사 잘 읽었어요. 참 좋네요. 글 쓰는 사람이라 그런지 역시 우리 직원들이 쓸 때와는 느낌이 다르네요."

그분은 나를 뽑아주신 면접관이기도 했다. 면접 보는 내내 학창시절 받은 각종 글짓기 상을 신기하게 생각하며 질문하셨던 분이었다. 그런데 막상 뽑아놓고 보니 내 글이 너무 평범하다고 생각하는 눈치였다. 언젠가는 도입부를 조금 더 감성적으로 그러니까, 이전에 직원들이 썼던 것처럼 쓰지 말라고 지시를 내리신 적도 있다. 또 인터뷰 가서 찍은 사진들이 죄다 흔들리니 신경 좀 쓰라고 날카롭게 말씀하신 적도 있었다. 그런 분이 입사 석 달 만에 잘 쓴다고 칭찬을 해주셨다.

칭찬을 받은 그날, 안도의 한숨이 쉬어졌다. 드디어 한 고비 넘어선 기분이었다. 더욱이 그분은 내 실력을 의심하던 분이 아닌가. 어쨌든 그분의 기대에 조금이라도 부합한 것 같아 안심이 되었다.

♥ 인생에는 '희로애락의 사이클'이 있다.

뭘 해도 잘 될 때가 있고 아무리 노력해도 잘 안 될 때가 있다.

그것을 단지 노력 부족으로 치부하기에는 많은 변수가 존재한다.

조직에서 혼자 잘한다고 그 일이 성공하는 것이 아니고,

어느 한 사람의 실력이 부족하다고 조직이 망하는 것도 아니다.

다만, 그 일이 하필 잘 풀린 것은 그럴만한 이유

그러니까 잘 될 수밖에 없는 조건들이 받쳐준 것이다.

그러니 성공했다고 너무 자만하지 말자.

또, 아무리 애써도 잘 안 되었을 때 자책하지 말자.

그것은 당신 혼자만의 책임이 아니다.

당신 옆에 있는 다양한 변수들이 하필이면 그 일에 영향을 준 것이다.

인생에는 희로애락의 사이클이 있다.

그러니 오늘의 그 결과에 만족하고 더 좋을 내일을 위해 준비하자.

06. 데드라인 지키기

회사에 소속된 프리랜서 작가로 활동하던 시절, 함께 협업하게 된 작가님이 계셨다. 그분은 나보다 먼저 회사와 인연을 이어오던 작가님이었고 마흔 중반의 미혼이셨다. 마흔 중반이 되도록 오로지 글 쓰는 일만 해온 작가님은, 어쩌면 또 다른 나의 모습인 것 같았다. 만약 내가 남편과 결혼하지 않았다면 나 또한 작가님처럼 아주 오랫동안 결혼하지 않고 글 쓰는 일을 하며 살았을 것 같기 때문이다.

작가님은 회사와 함께 백서 관련 작업을 오랫동안 해온 분이셨다. 백서는 '정부가 정치, 경제, 사회 등 각 분야의 문제에 대하여 그 현상을 분석하고 장래의 정책을 수립하기 위해 발표하는 보고서'를 뜻한다. 백서라는 이름 자체가 주는 무게감 때문에, 내게도 몇 번의 권유가 있었으나 못한다고 손 사레 치던 일이었다. 하지만 작가님은 그 방대한 분량의 까다로운 작업을 매년 해내고 계셨다.

당시 나는, 귀농귀촌과 귀어귀촌 사례집 원고를 교정하는 사람으로 회사와 인연을 맺은 상태였다. 다행히도 사례집 원고가 잘 마무리되었고, 다른 프로젝트에 들어가기 전까지 시간이 있으니, 작가님 일을 도우면 좋겠다는 팀장님 제안에 함께 하게 된 상황이었다. 돕는 개념이라니 부담이 없었다.

그러나 작가님의 다급한 전화가 울릴 때면 긴장이 되었다. 주어진 시간에 빨리 교정해서 보내주길 원했기 때문이다. 다행히도 단독으로 맡은 프로젝트가 없어 부담은 없었으나, 저녁 7시나 밤 10시에 전화가 오니 무척 난감했다. 대부분 반나절에서 하루 정도의 시간을 주셨지만, 나 또한 다음 날 선약이 있었기에 시간이 부족하기는 매한가지였던 것이다. 그렇다고 내 스케줄을 말하려니 작가님의 다급한 목소리에 마음이 약해졌다. 더욱이 백서를 이끌어가는 사람으로서 부담감 또한 클 것이라 여겨져, 새벽 4~5시까지 꼬박 새우며 완성해 보내주고는 했다.

작가님은 빨리 작업해서 보내주는 내게 무척 고마워했다. 문제는 뭐든 신속하게 해서 보내주는 나였다. 약속한 시간보다 빨리 해서 보내주니, 고마워하면서도 더 기대하게 만든 것이다. 이를테면, '내일 점심때까지 해주면 되는데, 빨리 해주면 더 좋고요.' 하는 식이다. 시간이 흐를수록, 내가 내 무덤 파는 기분도 들었다.

만약, 내가 이 일의 주 책임자였다면 나만의 계획을 짜서 체계적으로 진행했을 것이다. 하지만 내 플랜이 아닌 작가님의 플랜에 맞추려니, 늘 '그 급한 일'이라는 것을 최대한 빨리 해주어야 했다. 더욱이 작가님은 밤새 일하고 낮에 자는 스타일이라 늘 저녁 7시에서 밤 10시 사이에 일을 맡겼다. 하지만 나는 아침 일찍 일어나 아이들을 깨우고 밥을 먹여 학교로 보내야 했다. 또 집안일도 해야 했으며, 진행하는 다른 교정교열 일도 있었다. 그러니 스트레스가 쌓였다. 짧으면 3개월 안에 마무리된다는 말을 믿고 시작했기에, 밤을 지새울 때마다 조금만 더 참으면 끝이 난다는 마음으로 임했던 것 같다. 그러나 백서는 예정보다 3개월이나 늦게 마무리되었다. 일이라는 것이 늘 계획대로 되지 않는다는 것을 간과한 내 잘못이다.

일이 마무리되고 거울 속 나를 봤는데 깜짝 놀랐다. 흰머리가 확 늘었고 뱃살도 두둑해져 있었다. 확 달라진 내 모습을 보며, 스트레스가 사람에게 어떤 영향을 주는지 직시할 수 있었다. 덕분에 직장 생활하는 남편을 비롯해 '9 to 6'로 일하는 많은 근로자 분들의 수고를 이해하게 되었다. 직장에서는 자신의 주도가 아닌, 회사가 정한 목표와 시간대로 달려가야 할 테니 말이다. 자신의 주도하에 일을 진행하는 것과 주변 사람들과 협업하여 정해진 순서대로 따라가는 것은 여러 모로 차이가 있다. 물론 나 개인적으로는 후자가 더 힘들었다. 작가님 스케줄대로 일을 진행하려니 나만의 패턴이 무너져 일 자체가 스트레스로 다가온 것이다.

프리랜서로 글 쓰는 일을 하는 것은 이처럼 폭풍처럼 몰아치는 일 앞에서 몸과 마음 관리를 잘하며 나아가야 한다. 그래야 끝까지 잘 마무리할 수 있다. 이를 깨달은 후부터는, 너무 조급하게 몰아붙이지 않으려 노력하고 있다.

♥ 일본의 유명한 소설가 무라카미 하루키는

직업으로서의 소설가를 건강하게 오래 하려고 날마다 조깅을 한다고 한다.

또, '일간 이슬아'로 유명한 이슬아 작가는

매일 달리기를 하며 체력을 기른다고 한다.

매일 쓸 수 있는 힘을 기르기 위해서다.

그렇다. 모든 노동이 그렇지만 글쓰기도 건강해야 할 수 있는 것이다.

글은 머리로만 쓸 수 없다.

자유자재로 움직일 수 있는 손가락, 팔목,

온몸을 지탱하는 허리와 목이 건강해야 가능한 것이다.

이 글을 쓰면서 내 몸을 돌보지 않은 것에 많이 찔리고, 미안하다.

운동을 시작해야겠다. 오래 쓰는 사람이 되기 위하여.

07. 밥의 숭고함을 아는 자

어느 배우가 tv에 나와 '배우라는 직업은 누군가 선택해줄 때까지 기다리는 직업'이라고 말을 하는데, 프리랜서도 마찬가지라는 생각이 들었다. 생각을 확장해보면, 사실 모든 직업과 모든 사람이 그렇다. 평범한 직장인도 어쨌든 누군가 선택해줬기에 그 자리에 있는 것이니 말이다. 다만, 프리랜서와 같이 자유로운 근무형태의 직업을 가진 사람들이 월급 받는 직장인보다 조금 더 힘든 상황이긴 하다. 프리랜서라 새로운 일을 할 때마다 선택받기 때문이다.

물론, 능력이 있으면 수시로 선택받아 쉴 틈이 없다. 잘 나가는 연예인들이 이 방송, 저 방송 겹쳐 나오는 것처럼 말이다. 그러나 겹치기 출연이 가능한 능력자는 상위 몇 프로에 불과하다. 프리랜서 작가도 마찬가지다.

이제는 추억이 되었지만, 나도 그런 적이 있었다. 갑자기 일이 몰렸다. 경제서적 교정교열자로 계약하고 집중하려는데, 프리랜서 기자로 활동해달라는 일이 들어왔다. 또, 자서전 리라이팅 요청도 들어왔다. 솔직히, 마음 같아서는 다 해내고 싶었다.

그러나 경제서적 교정교열에만 집중하고자 다른 일은 모두 거절했다. 다 해낼 수 있는 역량도, 환경도 허락되지 않음을 이전의 경험으로 알고 있었기 때문이다.

이를 알게 된 지인은 거절한 돈이 얼마냐고 혀를 찼다. 나도 안다. 조금 무리해서라도 하면 안 될 것도 없다는 것을. 하지만 돈 때문에 내 건강을 깎아먹는 짓은 하지 않기로 했다.

문제는 다시 일을 기다리는 신세가 된 것이다. 바쁠 때는 이곳저곳에서 함께 일하자고 손을 내미는데, 어느 순간 할 일이 없어지는 시기가 온다. 마치 농사꾼이 내내 논에서 일하다가, 겨울이 되니 할 일 없이 먼 산만 바라보는 것처럼 말이다.

글 쓰는 프리랜서로 살면서 가장 힘든 부분이 이러한 공백기다. 바쁘게 살다가 갑자기 할 일이 없어 시간을 주체하기가 힘들어진다. 다행히도 챙겨야 할 가족들과 집안일이 있지만 그건 그거고, 나만의 일이 있어야 했다. 나는 글 쓰는 일이 없어지면 마음이 불안해졌다. 지금 당장 일하지 않으면 나만의 일이 영원히 끝나버릴 것 같은 느낌이었기 때문이다. 일부러 밖에 나가 쇼핑도 하고 친구와 수다도 떨어보지만 그때뿐이다.

나는 일을 해야 불안감이 해소되었다. 그래서 프로필을 다시 재정비하고 취업사이트에 들어가 기웃댔다. 또 공모전도 준비했다. 글 쓰는 일로 돈을 벌 때는 등한시 하다가, 일이 없어지면 다시 드라마 극본 공모전 준비를 한 것이다.

드라마 작가가 꿈이라면서 단, 1년이라도 드라마 쓰는 데만 진득하게 집중하지 못했다. 그리고 공모전 기간에 단막극 한 편 겨우 써서 내고, 노력했다며 안도의 한숨을 쉬었다. 그러다가 돈 벌 수 있는 글 쓰는 일이 생기면 홀랑 가버렸다. 이것이 나의 글쓰기 행보였다. 드라마 작가 지망생으로서 부지런하지 못한 아니 무성의한 태도였다.

물론 이 모든 여정이 헛된 것은 아닐 것이다. 일 하며 느끼고 배우는 것들이 있고, 첨삭 일이라도 하니 작가의 꿈을 놓지 않았는지도 모르기 때문이다. 글 쓰는 일이 아니라 다른 돈벌이를 찾아 떠났다면, 지금쯤 나는 '글은 어떻게 쓰는 것이지?'하며 울먹울먹 했을지도 모를 일이다.

신문의 사회면에서 홀로 원룸에서 생을 마감한 어느 무명작가에 대한 기사를 읽었다. 무명작가는 주인집 아주머니에게 먹고 남은 밥과 김치가 있다면 조금 가져다 달라는 쪽지를 남기기도 했단다. 기사를 보아서는 굶어 죽은 것인지, 스스로 생을 마감한 것인지는 자세히 나오지 않았다.

나는 한동안 가슴이 먹먹했다. 꿈을 향해 나아가던 그 작가가 어쩌면 나였을 지도 모르겠다는 생각이 들었다. 지나친 비약일 수도 있으나, 인생은 50대 50의 확률을 동반한다.

누군가는 혼자 방에서 글만 쓰지 말고 밖에 나가 아르바이트라도 하지 그러냐고 하지만, 당사자가 아니라면 그 어떤 말도 함부로 하지 않아야 한다. 그 나름의 상황과 심정이 있었을 테니 말이다.

인간에게 밥은 매우 숭고한 것이다. 그 숭고한 밥을 먹기 위해 우리는 일을 하며 살아간다. 한 때는 꿈을 이루지 못하고 다른 사람이 의뢰한 글이나 고쳐주는 나의 처지와 나의 일이 하찮게 느껴졌었다. 그래서 누군가 뭐하냐고 물어보면 그냥 '주부'라고 했다. 하지만 그냥 '주부'라고 말하기에는 어딘가 억울한 면이 있었다. 나는 늘 바쁘게 일을 구하고 있었고, 때로는 일을 하고 있었기 때문이다. 그래서 이제는 '글 쓰는 일'을 하고 있다고 말한다.

노동을 하는 모든 인간들은 자신이 하는 일과 직업에 대해 그리 큰 자부심을 갖지 못한다. 많은 사람들이 선망하는 학교 선생님으로 일하는 분도 자신의 직업에 대해서는 만족하지 못한단다. 왜일까? 답은 하나, 이미 가 본 길이기 때문이다. 간절히 원했던 일이고 선망했던 꿈이었지만, 막상 경험해보니 별 것 없음을 안 것이다. 그 일도 수많은 노동 중 하나라는 것을 알게 된 것이다.

나 또한 그렇다. 누군가에게 글 쓰는 일을 하고 있다고 하면, 편하게 일하니 좋겠다는 답을 듣는다. '이렇게 쓸까, 저렇게 쓸까?' 수없이 고민하고, 다시 고치라는 말을 수없이 들으며 고심하는 것도 모르고 말이다. 현업에서 드라마 작가로 일하는 분들도 어쩌면 그토록 선망하던 자신의 일에 대해 회의감을 느끼고 있을지도 모르겠다. 감독님과 배우 분들의 구체적인 요구, 시청자들의 냉철한 피드백, 더 좋은 반응을 위해 더 자극적인 상황을 써내고자 고심해야 할 테니 말이다.

♥ 어쩌면 내가 꿈꾸는 드라마 작가의 길을 끝내 못 갈 수도 있다.

예전 같으면 생각하기도 싫은 이야기지만 지금은 다르다.

가면 좋겠지만 못 가도 후회는 없다.

이루지 못하더라도

그 덕분에 오늘을 열심히 살 수 있으니 말이다.

08. 제안과 거절

[000 한의원에서 제안이 도착했습니다. 이 메시지는 요청하신 '포지션 제안받기'에 대한 알림으로, 기업과 헤드헌터의 제안을 받으신 경우에만 발송됩니다.]

둘째 아이 태권도 학원 끝날 시간에 맞춰 급히 나가는데 톡이 도착했다. 이런 경우는 또 처음이었다. 어떻게 먼저 제안이 들어왔을까 추적해보니, 얼마 전 취업사이트에 들어갔다가 '포지션 제안받기' 버튼을 누른 모양이었다. 그게 뭔지도 모르고 누른 게 틀림없었다. 톡 뒤에 붙여진 링크를 따라 들어갔다. 내용을 읽어보니 프랜차이즈 한의원인데 기존과 다른 방식으로 홍보 글을 쓰고 싶다고 했다. 블로그를 통해 병원이나 한의원 홍보 글을 접한 경험이 있지만, 직접 써본 적이 없어 무척 망설여졌다. 그래서 제안에 대한 감사한 마음만 갖고 포기하려 했는데, 다음 날 낯선 번호로 전화가 왔다.

"안녕하세요. 000 한의원입니다. 제안 드린 내용에 대해 생각해 보셨나요?"

"네. 제안 주셔서 감사합니다. 그런데 저는 블로그 홍보 글을 써 본 적이 없어요. 그래서 어떻게 써야 할지 아이디어도 없고요."

"사실 저희도 이렇게 제안 드리는 것은 처음입니다. 병원 홍보 글이 대부분 비슷한 맥락으로 써지기 때문에 이제는 큰 효과가 없어서요. 그래서 글 쓰는 일을 해 오셨던 분에게 에세이 형식으로 홍보 글쓰기를 제안 드려 봅니다."

에세이 형식이라는 말에 조금 마음이 흔들렸다. 호기심이 발동했다. 내가 가진 장점 중 하나가 바로 '호기심'이 쉽게 생기는 것이다. 그래서 원고료에 대해 협의하고, 3일 안에 샘플 작업을 해서 보내기로 했다. 샘플 작업 역시 내가 먼저 제안했다. 특히 이번 경우는 샘플 작업이 꼭 필요해 보였다. 원장님께서 원하시는 결과물에 대해 명확한 기준이 없었기 때문이다. 오로지 '기존과 다른 형식이었으면 좋겠다'고 했다. 호기심 때문에 하겠다고 했지만, 어떻게 써야 원장님이 만족하실지 알 수 없었다.

결국 나는, 몇 시간 동안 하얀 바탕의 한글 프로그램만 바라보다가 대략적인 주제라도 잡아달라고 원장님께 메시지를 보냈다. 돌아온 답변은 '아토피'였다. 이후, 아토피를 검색해 000 한의원 블로그에서 기재한 블로그 글을 보았다. 훌륭했다. 한의원 직원이 작성한 블로그 글이라고 했는데 아토피에 대한 증상, 치료, 후기까지 매우 생생하게 잘 작성되어 있었다. '아니, 이렇게 좋은 글이 있는데 어떻게 이보다 더 좋은 글을 쓰라는 것일까?' 하는 생각까지 들었다.

순간 더 좋은 글을 써달라는 제안을 주신 원장님의 기대치와 수준이 매우 높다는 것을 깨닫고, 자신감이 하락하기 시작했다. 이 일을 해내지 못할 것이라는 마음이 커지기 시작했다.

제안 받은 지 2일째 밤, 컴퓨터 앞에서 이런저런 일들을 하고도 시간이 남았다. 마지막이라는 심정으로 다시 '아토피'를 검색하고 관련 글들을 검색했다. 그리고 조금이라도 '제안'에 보답하겠다는 심정으로, 글을 쓰기 시작했다. '에세이 형식'이라 했으니 아토피로 힘들어하는 아기를 둔 엄마의 수기 형식으로 글을 쓰기 시작했다. 글을 보낸 다음 날, 원장님께 전화가 왔다.

"잘 쓰셨네요. 감사합니다. 그런데 말입니다. 제가 생각한 느낌은 아닌 것 같아요. 이전과 다른 형식이긴 하지만, 이 정도로는 부족한 것 같아요."

"생각하시는 방향의 초안을 대략적으로라도 주시면 원하시는 결과물을 드릴 수 있을 것 같아요."

"그러게 말입니다. 저도 그것을 몰라서 제안 드린 것이거든요."

고구마 백 개를 먹은 것 같은 대화들이 오랫동안 이어졌다. 통화를 할수록 이 일에 대한 마음이 깨끗이 정리되고 있었다.

"일단은 보류를 하고요. 이후라도 좋은 아이디어가 떠오른다면 전화드리겠습니다."

원장님과의 통화를 마무리하고, 어두운 터널을 빠져나온 것처럼 후련했다. 능력이 없는 내게 끝까지 희망을 버리지 않고 '더 좋은 글, 더 새로운 형식의 홍보'를 요청하셨던 원장님의 간절함이 지금도 잊히지 않는다. 원장님이 원하는 그 수준이 어느 지점인지 정말 감을 못 잡아서 미안하고 답답했다. 어떻게든 그분이 원하는 결과를 드리고 싶었지만 능력의 한계였다.

어떤 친구는 샘플 작업에 대한 원고료를 왜 받지 않았냐고 한다. 이쪽 일을 하다 보니 본능적으로 느껴지는 감각이 있다. 상대방이 선한 의도인지, 악한 의도인지 느껴지는 감각 말이다. 글 쓰는 일을 하면서 돈과 관련해 치사하게 구는 사람들을 종종 보아왔다. 그때마다 배신감이 하늘을 찔렀지만, 정말 내 능력이 문제였다면 받지 못해도 억울한 마음이 없었다. 이번 경우는 그랬다. 그분의 제안에 긍정의 답을 했던 것이 나고, 그분에게 만족스러운 글을 제공하지 못한 것도 나다. 때문에 샘플 작업에 대한 원고료는 안 받는 것이 마음 편했다.

글 쓰는 일을 하면서 가장 어려운 순간은 이런 상황이다. 잘 해내고 싶은데 잘 해낼 수 없었던 상황, 좋은 아이디어가 없어 만족스러운 결과물을 내지 못하는 상황 말이다.

어떤 일이든 그 일에 적합한 능력을 보여주고 합당한 대가를 받는 것이 옳다고 본다. 그동안 나는 프리랜서 작가로 일하며 원고료와 관련하여 꽤 많은 경험을 했고 더 받지도, 덜 받지도 않으려 노력했다. 그러나 처음 시작하는 일, 그러니까 나의 능력을 무조건 믿어주는 그 첫 순간에는 내가 조금 손해 보는 것 같아도 감사하게 시작했다. 물론, 나의 능력이 거듭 확인된다면 처음보다는 훨씬 나은 조건으로 함께 일하기를 요청한다. 그래서 원고료를 더 올려 받은 적도 있고, 거절당해 함께 일하기를 멈춘 적도 있다.

정답은 없다. 그러나 이미 지난 일은 후회하며 돌아보지 말자.

♥ 써야 할 글이 있는데 도저히 생각나지 않고
의욕도 없던 순간이 있었다.

마침 컴퓨터 옆에 좋아하는 작가의 책이 있어, 읽기 시작했다.

그런데 자꾸 질투가 나는 거다.
작가의 독특한 표현과 문체에 반한 것도 모자라 부러웠기 때문이다.

벌떡 일어나 책상에 앉았다.
나도 그(그녀)처럼 잘 쓰고 싶다는 마음으로 말이다.
그럼 막혔던 문장들이 술술 풀리는 경우가 종종 있었다.

그래도 글이 안 써지면, 블로그에 일기를 쓴다.
일기는 형식이 없고, 읽는 사람도 엄격한 잣대를 들이대지 않기 때문에
정말 생각나는 대로 쓰는 편이다.

일기를 다 쓰고 다시 막혔던 문장으로 돌아오면
의외로 술술 풀리는 경우가 있다.

여러분도 글을 쓰다가 막혔을 때, 좋아하는 작가의 책 읽기와
블로그에 일기 쓰기를 시도해보시길 권유한다.

나의 두 가지 방법이 아니라도,
막혔던 글을 시원하게 뚫을 방법을 찾으셨다면 미리 축하드린다.

당신은 글을 잘 쓸 수 있는 강력한 무기를 발견한 것이다.

09. 글 쓰는 사람의 자기소개

큰 아이가 초등학교 5학년 때, 있었던 일이다. 저녁밥을 차려주려고 주방에서 바쁘게 움직이는데 아이가 뚱한 표정으로 물었다.

"엄마, 엄마는 글 쓰는 사람이에요?"

"응. 그렇지. 왜?"

"그럼 작가예요?"

"왜 그래? 무슨 일 있었어?"

"친구들이랑 엄마 직업에 대해 이야기하는데 내가 우리 엄마는 글 쓰는 사람이라고 했거든요? 그랬더니 애들이 엄마가 무슨 책 썼냐고 묻더라고요?"

어떻게 설명을 해야 할지 조금 난감했다. 이런 상황이 올 것이라 예상은 했지만 준비한 답변이 없었다. 더욱이 아이는 '글 쓰는 사람 = 작가 = 책 쓴 사람'이라는 세상 사람들의 공식에 맞는 답을 찾지 못해 난감해하고 있었다.

그날 밤, 사보기자로 일하던 시절 출판된 사보 속 기사에서 내 이름 석 자가 적힌 것을 아이에게 보여주었다. 그리고 직접 교정 교열한 책에서 '편집인 글로리(가명)'를 보여주었다. 그리고 나의 일과 꿈에 대해 자세히 이야기해주었다. 그제야 아이는 고개를 끄덕였다.

이처럼, 글 쓰는 일은 유명 작가가 아니라면 명확히 설명하기 어려운 구석이 있다. 그리고 '책'을 출간해야 '작가'라는 인식이 아이들 사이에서도 존재함을 확인했다.

서른셋이 된 사촌동생이 여전히 경찰공무원 준비를 하고 있다는 이야기를 들었다. 공부보다는 운동을 더 좋아하는 아이였는데, 몇 년째 공부를 한다니 의아했다. 적어도 공무원이라는 꿈을 꾸지는 않았던 것으로 기억한다. 사촌동생은 공무원이라는 직업을 선택하고 그 길을 향해 노력하고 있었다. 하고 싶은 일이 아니라 하면 좋을 일을 택한 것이다. 사촌동생의 경우를 보며, 나 또한 '하면 좋을 일'을 택했다. 그것은 책 쓰기다. 내가 하고 싶은 것은 드라마 작가지만, 그 꿈을 당장 이루기는 어렵다. 그래서 책을 쓴 출간 작가가 되기로 했다. 책을 쓴 출간 작가는 내게 있어 하면 좋을 일이기 때문이다.

♥ 출간 작가는 보통 A4 100P의 한글문서

혹은 10만 자 이상의 글을 써야 한다.

이 사실을 알고 포기하고 싶었다.

그렇게 긴 글을 써 본 적이 없고,

그 정도 분량으로 쓸 이야기가 없었기 때문이다.

그래서 글 쓰는 플랫폼인 브런치에 A4 1페이지 반 분량으로

일기 비슷한 수필을 발행하며 책 쓰기 연습을 했다.

그렇게 나는 책 쓰기에 대한 준비를 했고,

직접 출판사를 차려 책을 발간하는 성과를 이루었다.

이로써, 나를 '출간 작가'로 소개할 수 있는 명분이 생겼다.

10. 아름다운 삽질

모 방송사 드라마 극본 공모전에서 예선 통과도 되지 않고 깔끔하게 미끄러졌다. 몇 번을 경험했는데도, 떨어질 때마다 충격이었다. 합격자 명단을 보고 또 봐도 내 이름이 없는 것을 확인하고, 화장실로 가서 습관적으로 양치를 했다.

"괜찮아, 다시 도전하면 되지."

애써 미소 짓는 내가 보였다. 거울 속 나의 입은 담담한 척 웃고 있는데 눈이 금방이라도 울 것 같았다.

"삽질하네!"

나도 모르게 툭, 튀어나간 말이다.

삽질은 국어사전에, '별 성과가 없이 삽으로 땅만 힘들게 팠다는 데서 나온 말로, 헛된 일을 하는 것을 속되게 이르는 말'이라 쓰여 있다. 어쩌면 이리도 솔직하게 단어 설명을 해놓으셨는지, 나를 위한 말인가 싶기도 했다.

드라마 작가가 되기 위해 방송아카데미 들어갈 돈을 모으겠다며 고군분투하던 나를 아는 친구는 가끔 묻는다.

“아직도 글 쓰니?”

그 질문을 받고 나면 말문이 턱 막혔다. 친구가 의도한 것은 아니지만 ‘아직도’라는 단어가 한없이 초라하게 느껴졌기 때문이다. 그러면 나는 힘없이 받아쳤다.

“그냥 해보는 거지 뭐. 이제는 취미로 쓰고 있어.”

드라마 작가가 되지 못한 작가 지망생의 비겁한 변명이었다. 소위 쪽이 팔려서, 그러니까 아직도 아무것도 아닌 내가 창피해서 변명을 한 것이다. 취미는 아니었다. 맹세코.

그러나 나의 처지가, 나의 지난 행적이 말해 주고 있었다.

‘취미인 것 같은데?’

사실 나는 알고 있었다. 드라마 소재가 특출 난 것도 아니고 딱히 재미있게 쓰지도 못했음을, ‘응모 완료’를 누르면서도 양심에 찔렸음을.

이처럼, 글을 쓴다는 것은 종종 자존감이 무너지고 무기력함을 느끼게 한다.

물론 글 써서 먹고사는 일에 문제가 없을 때는 글 쓰는 일을 선택한 나 자신의 머리를 여러 번 쓰다듬어 준다. '그래, 이렇게 글 쓰며 돈도 벌고 얼마나 좋아? 사회의 일원으로 경제적 역할도 해내고? 그렇지?'
그러나 프리랜서로서 일이 없거나 내는 공모전마다 예심도 통과 못하면, '재능도 없는데 시간 낭비를 하는 것은 아닐까? 당장 아무 자격증이라도 따서 취업해야 하는 것은 아닐까?'하는 생각에 잠을 이루지 못했다.

공모전에서 자꾸 떨어지는 것에 스트레스 받아, 한동안은 그 어떤 도전도 하지 않은 적이 있다. 당시 아이를 키우느라 작품 구상이니 뭐니 할 정신도 없어, 꿈을 잊기에 더할 나위 없이 좋은 시기였다. 심지어 기도도 해보았다. '주님, 재능이 없다면 쓸데없는 데 정신 팔리지 않게 저를 바로잡아주세요'라고 말이다.

그렇게 한 5년 동안은 아무 생각 없이 살았던 것 같다. 알음알음 들어오는 교정교열 일을 가끔 하고, 너무 심심하다 싶을 때면 재택 근무로 할 수 있는 일을 찾아 소소하게 시간을 보낸 것이다.

그런데 이 또한 쉬운 일이 아니었다. 글을 써야 살 수 있는 운명인 건지 자꾸만 글이 쓰고 싶은 것이다. 우연히 '공모전'이라는 단어만 봐도 가슴이 두근거렸다. 이 정도면 '공모전 중독'인 것은 아닌지, 의심해봐야 할 정도였다.

내 인생을 보다 나답게 살고 싶어 글 쓰는 일을 하고 싶었고, 이왕이면 작가가 되고 싶었다. 그런데 계속 공모전에 떨어지고, 떨어져도 자꾸 집착하는 내가 걱정되었다. 첨삭 일을 하면서도 누군가 뭐하냐고 물어보면 그냥 '주부'라고 했다. 10년 넘게 해온 첨삭 일조차도 나는 '직업'이 아닌 '아르바이트'로 여겼던 것이다. 그러니까 내 마음에는 공모전으로 등단하는 '작가'가 될 때까지는 차라리 그냥 '주부'인 게 편했던 것이다.

어쩌다 보니 시간이 흘렀고, 어쩌다 보니 여전히 드라마 작가 지망생으로 살고 있다. 다행히도 출간 작가가 되었고 비록 1인 출판사지만 출판사 대표도 되었다. 이 또한 나를 지키는 방법 중 하나다. 글 쓰는 직업을 이제 와서 포기하지 않게 하기 위한 장치인 것이다. 언젠가 글 쓰는 직업에 집착하는 내가 싫어서 다 놓아본 적도 있었다. 오로지 육아에만 전념한 것이다. 하지만 그 또한 마음이 편하지 않았다. 다시 쓰고 싶어진 것이다. 나는 왜 하필 글 쓰는 일에 꽂혔을까?

기쁘다.

글 쓰는 일을 하면 기쁘다. 저기 마음속 깊은 곳에서 기쁨이 차오른다. 퇴고까지 완벽하게 마쳤을 때의 그 희열을 잊을 수가 없다. 그래서 글 쓰는 일을 놓을 수가 없다. 글 쓰는 직업을 포기할 수가 없다. 교정교열이든, 첨삭이든, 책 쓰기든 계속할 것이다. 하면 기쁘니까.

이런 나를 응원하지 않을 수가 없다. 그래서 '삽질 하네'가 아니라 '수고 했네'로 토닥여주려 한다. 잘했다고. 네가 괜찮다면 계속 해보라고!

♥ 꿈이 있는 사람과 꿈이 없는 사람은 매우 다른 삶을 산다.

꿈이 없는 사람은 주어진 일을 성실히 해내는데 그치지만,

꿈이 있는 사람은 주어진 일을 하면서 남몰래 꿈의 재료를 모은다.

남몰래 꿈의 재료를 모으는 것은 매우 달콤하다.

현실이 힘들어도 언젠가는 꿈을 이룰 것이라는 희망을 맛보기 때문이다.

꿈을 이루는 것도 좋지만 이루지 못해도 손해는 아니다.

꿈을 바라보며 맛본 달콤한 희망들이

당신의 삶을 더 뜻깊게 만들어 줄 테니 말이다.

chapter 4. 글 쓰며 살고 싶은 당신에게 해주고 싶은 말

01. 하찮아 보이는 그 일, 그 일부터 시작하자.

17년 전의 나는 남의 글을 고쳐주는 사람이 아니라, 내 글을 쓰는 작가로서 글 쓰는 일을 할 것이라 생각했다. 하지만 당장 생계에 도움이 되는 것은, 남의 글을 고쳐줄 때였다.(현재는 책을 쓰고 출판사를 직접 운영하며 약간의 인세가 들어오지만, 전업으로 하기는 힘든 수준이다.)

이 글을 쓰고 있는 지금도, 새로운 일을 기다리고 있고 더 좋은 글을 쓰기 위해 노력하고 있다. 여전히 인생이라는 여정 속에서 노를 젓고 있는 것이다. 그런 내가 잠시 뒤를 돌아보았다. 그랬더니 저 출발점에서 나와 같은 길을 가고 싶어 하는 사람들이 보였다. 그 사람들은 바로 지금 이 시간 이 글을 읽고 있는 여러분이다. 글 쓰는 일을 하고 싶어 하는 여러분!

대단한 선배는 아니지만 조금이라도 돕고 싶다는 생각이 들었다. 그래서 이렇게 글로 마음을 전하려 한다.

글 쓰는 일을 하고 싶은데 어디서 어떻게 일을 구해야 할지 도저히 모르겠다면 일단 눈높이를 낮출 것을 권유한다. 글 쓰는 일을 하고 싶은 분들의 대부분이 눈높이가 높다. 나도 그랬다. 사람이라면 누구나 더 멋진 일, 더 좋은 회사, 더 높은 원고료를 주는 곳에서 시작하고 싶어 한다. 하지만 그 눈높이에 딱 맞는 곳은 쉽게 찾을 수 없다. 그중에 한 가지 조건이라도 맞는 곳이면 일단 시작해야 한다. 이제 막 시작하는 사람들에게 가장 필요한 것은 경험과 경력이기 때문이다.

글 쓰는 사람을 구할 때 많이 보는 것 중 하나가 그 일을 잘할 수 있는 능력, 그러니까 이전에 비슷한 경험이 있었던 가이다. 아무래도 경험을 해본 사람이 더 효율적으로 일할 수 있을 테니 말이다.

때문에 조금 자존심 상하더라도 글 쓰는 일 앞에서 최고보다는 최선의 것을 고르길 권유한다. 최고의 기회가 올 때까지 기다리는 것은 조금 위험한 일이다. 왜냐하면 당신 뒤에서 쫓아오는 수많은 실력자들이 최고의 기회를 가만두지 않을 테니 말이다.

하찮아 보이는 기회가 보이는가? 그럼 그것부터 시작하자.
당장은 어디 말하기도 창피하고 하찮아 보여도 그 일에 최선을 다해 집중하면 그보다 훨씬 좋은 기회가 찾아올 것이다.

나도 그렇지만 글 쓰는 사람들의 대부분은 '작가'의 꿈을 갖고 있다. 시, 소설, 동화, 드라마, 희곡, 영화, 웹소설 등의 분야에 멋지게 데뷔해 대중의 사랑을 받는 글을 쓰는 작가 말이다. 그러나 세상에는 글을 잘 쓰는 사람이 참 많다. 혹 운 좋게 등단을 하더라도 한 번의 등단으로 끝나는 분도 있다. 등단 후, 이렇다 할 작품을 내놓지 못해 대중으로부터 잊히는 것이다. 또 등단한다고 생계와 관련한 모든 것이 다 해결되는 것도 아니다.

하물며, 아직 등단을 하지 못한 사람이 등단의 기회만 기다리며 밥벌이에 힘쓰지 않는다면? 그것은 본인은 물론 주변 사람들까지도 힘들게 하는 일이다.

나 역시 공모전에서 크고 작은 수상을 하며, 수상경력이 저절로 밥벌이로 이어지지 않음을 알았다. 적극적으로 일을 구해야 하고, 적극적으로 써서 투고를 해야 한다. 부지런하고 성실하게 움직여야 글 쓰는 일로 돈을 벌 수 있는 것이다.

나의 첫 글 쓰는 일은 '오늘의 운세'를 젊은 사람들이 이해하기 쉽게 고치는 일이었다. 솔직히 하고 싶지 않은 일이었다. 하지만 당시의 나는 경력이 전혀 없는 사람이었고 당장 돈을 벌어야 했다. 그래서 했다. '여긴 어디? 나는 누구?'와 같은 심정이었지만 더 나은 미래를 위해 경력을 쌓는 중이라며 꾹 참았다. 그리고 그 1년의 경험이, 연구소 웹진 및 사보 작가로 일하는 결과로 이어졌다.

이런 경험들이 쌓이고 쌓이면, 글 쓰는 일을 구할 때 한 번이라도 더 들여다보고 싶은 스펙을 소유한 사람으로 변화한다. 그래서 글 쓰는 일을 하고 싶어 하는 당신에게 말해주고 싶다.

"하찮아 보이는 그 일, 그 일부터 시작해 보세요. 머지않아 당신이 원하는 글을 쓸 기회가 생길 것입니다."

02. 글 쓰는 데 도움이 되는 활동

'빨리 가려면 혼자 가고 멀리 가려면 함께 가라'는 말이 있다.
사실 크게 공감이 가는 말은 아니었다. 나는 동료 없이 재택근무로 혹은 프리랜서로 일하는 경우가 대부분이었기 때문이다.

그런데 이 책을 쓰면서 누군가와 함께 가고 있었음을 뒤늦게 깨달았다. 그 누군가는 바로 '네이버 카페'다. 나는 궁금한 것이 있을 때마다 네이버 검색창을 찾는다. 무엇이든 궁금한 것을 물어보면 지식인과 블로그 글로 많은 답들이 쏟아지기 때문이다. 그 정도로 네이버를 애용하는 나는, 관심사가 있을 때마다 '네이버- 카페'에 가입했다. 나의 모든 관심사에 대한 질문과 답 그리고 나와 비슷한 사람들의 고민이 모여 있어 한 번씩 들어가 보기 좋았기 때문이다.

최근 내 인생에 가장 큰 영향력을 준 카페는, 드라마 및 시나리오 작가를 희망하는 사람들이 모인 카페와 1인 출판 및 출판사를 운영하시는 분들이 모인 카페다.

아이러니하게도 카페를 가입한 것은 한창 육아에 허덕이던 시절이었다. 첫째는 7살이고 둘째는 막 태어난 아기였을 때, 스마트폰을 뒤적이다가 발견한 카페였다. 물론 가입만 하고 어떤 활동도 하지 않았다. 다만, 습관처럼 카페에 들어가 사람들이 남긴 글들을 읽었다. 육아로 내 시간이 없던 나는, 그들의 글쓰기 고민과 비전에 대한 글을 읽는 것만으로도 흥미로웠다.

시간이 흘러 둘째 아이가 유치원에 가고, 나의 잠들어있던 자아가 다시 살아나기 시작했다. 일을 조금 더 본격적으로 하고 싶다는 생각, 내 글을 다시 쓰고 싶다는 열망이 피어오른 것이다. '에이, 이제 와서 무슨. 괜히 헛된 꿈을 갖는 것은 아닐까?' 걱정도 되었다. 시작을 하면 그 일에 대한 애정이 강해져 열심히 하고, 열심히 했는데 성과가 좋지 않으면 많이 힘들어할 것이 분명했기 때문이다.

하지만 손가락은 내 머리보다 빨랐다. 하루에도 몇 번씩, 네이버 카페를 들락거리며 그 세계에 있는 사람들의 이야기를 엿보게 되는 것이다. 그리고 '아, 지금이 공모전 시즌이구나.', '아, 떨어져서 많이 상심했구나.', '아, 1인 출판을 준비하는구나.', '아, 교정교열 일을 구하는구나.' 하는 생각을 했더랬다.

그러던 어느 날, 재테크 서적 교정교열자를 구한다는 구인광고를 카페를 통해 보게 되었다. 당시 나는, 책 한 권을 교정한 경험이 거의 없었다. 하지만 도전하는데 돈이 드는 것도 아니고, 경험이 없으니 떨어져도 상관없다는 마음으로 지원을 했다. 그리고 며칠 후 담당자가 샘플 원고를 주며 테스트를 요청했고, 부담 없이 응하여 결국 그 일을 하게 되었다. 처음으로 책 교정교열을 하게 된 것이다.

뿐만 아니다. 카페를 들락거리다가 다시 글을 쓰고 싶은 마음이 생겨, 드라마 극본을 다시 습작하기 시작했다. 그를 계기로 같은 지역에 사는 작가 지망생들과의 만남도 가졌는데, 같은 꿈을 가진 사람들과 대화를 나누며 다시 시작할 힘을 얻었다. 그중 한 명의 작가님은 지금도 종종 연락해 서로에게 힘이 되는 이야기를 해주고 있다.

또, 1인 출판사들이 모인 카페에서는 좋은 글을 쓰는 작가를 찾는 출판사, 자신의 글을 가치 있게 책으로 내 줄 출판사를 찾는 작가들이 종종 글을 올렸다. 나는 그들이 올리는 푸념 같은 글들을 보며, '꿈을 향해 나아가는 모습이 멋지다. 나도 그들처럼 다시 꿈을 향해 정진해야겠다'는 의지를 다졌다. 그리고 이렇게 '글 쓰는 직업'에 대한 책을 만들기까지 이르렀다.

'빨리 가려면 혼자 가고 멀리 가려면 함께 가라'는 말이 무슨 말인지 이제야 이해가 된다. 네이버 카페에서 활동하는 분들은 나와는 전혀 상관이 없는 사람들이라 생각했다. 그런데 돌아보니 그분들의 글 한 줄이 나를 흔들어 깨우는데 도움이 되었다. 혼자인 줄 알았지만, 네이버 카페 속 많은 회원들이 실은 나와 함께 가고 있었던 것이다.

자주 전화 통화하고 만나는 사람들만 내 사람이 아니다. 만날 수 없고 연락할 수 없어도 끊임없이 소통하며 살아가는 온라인 속 많은 회원들도 내 사람인 것이다.

글 쓰는 일을 하고 싶고 관심이 많다면 함께 할 수 있는 사람들을 곁에 두는 것이 좋다. 그래야 쉽게 포기하지 않고, 모로 가든 그 길로 갈 수 있기 때문이다. 같은 길을 가는 사람들을 직접 만난다면 더 좋겠지만, 내 경험상 온라인 속 플랫폼에서 만나는 것도 큰 도움이 된다.

함께 가야 쉽게 지치지 않고, 함께 해야 포기하지 않는다. '꿈'을 향해 나아가는 사람과 '포기'하고 현재를 살아가는 사람의 인생에는 차이가 있다. 꿈이 있으면 더 활력 있게, 열정적으로 살아가는 힘이 생기기 때문이다. 혹 최종의 목표를 달성하지 못하더라도 그 중간쯤 어딘가에서 나름의 목표를 성취해 기쁨을 누릴 수도 있다.

꿈을 포기할 정도로 좋아하는 다른 그 무엇인가를 발견했다면 뒤도 보지 않고 떠나도 좋다. 하지만 꿈을 포기하고 살아가는 것이 사실은 '사형선고'처럼 자신을 포기하는 것과 같은 심정이라면, 힘들어도 참고 꿈을 향해 나아가는 것이 좋다고 생각한다. 나 역시 꿈을 포기하고 현재에 집중한 적이 있는데, 자존감이 많이 떨어졌었다. 물론 나라는 사람을 특정 직업과 꿈에 한정 지어 평가할 수는 없지만, '목표'없이 달리려니 의욕이 없었다. 그러니 상처 받는 것이 무서워 물러서지는 말자. 내가 네이버 카페를 들락거리며 다시 도전했듯, 글 쓰는 일을 하기 위해 온라인이든 오프라인이든 함께 할 수 있는 사람들과의 접촉점을 만들어두자. 그 작은 노력들이 원하는 꿈에 더 가깝게 다가가도록 도와줄 것이다.

03. 글을 쓸 수 있는 플랫폼으로 나를 데려가기

글 쓰는 일로 돈을 벌고 싶은 사람들은 자신이 쓰고 싶은 글로 돈을 벌 수 있길 희망한다. 그러나 쓰고 싶은 글로 돈 버는 일은 쉽지 않다.

나 또한 그랬다. 쓰고 싶은 글은 드라마 극본과 에세이인데, 그런 글을 썼다고 내게 돈을 주는 곳은 없었다. 물론 뛰어난 실력을 보유한 분들은 충분히 가능한 일일 테지만, 약간의 재능으로 글 쓰는 일을 하고 싶은 나에게는 무척 어려운 일이었다. 그래서 차선책으로 선택한 것이 리라이팅과 첨삭 일이었다. 그런 일들은 이력서를 내고 샘플 작업을 보내 통과만 하면 원고료를 받을 수 있었다.

그러나 내가 쓰고 싶은 글을 쓰고 싶다는 목마름은 쉽게 해결되지 않았다. 그래서 에세이와 드라마 극본 공모전에 도전하고는 했다. 나의 경우 에세이 쪽에서는 작은 수상이라도 종종 하는데, 드라마 극본 공모전에서는 늘 미역국을 마셨다.

그때 나를 이끈 곳이 블로그와 브런치였다. 사람들이 블로그에 글을 쓴다고 할 때, 솔직히 이해가 되지 않았다. '원고료를 안 주는데 왜 공짜로 글을 올리지?' 하는 생각을 한 것이다. 브런치도 마찬가지였다. '왜 브런치에 글을 올리지? 자기만족인가?'

'작가'는 내가 선택한 직업이고, 그 직업으로 돈을 벌고 싶다는 마음이었다. 그래서 원고료를 주지 않는 곳에 굳이 내 진심이 담긴 글들을 올리고 싶지 않았다. 그런데 언제부터인가 내 어리석은 가치관이 부끄러워지는 이야기가 들리기 시작했다.

블로그와 브런치에 자신의 글을 올리던 그 누군가가 출판사의 제안으로 책을 내게 되었고, 이후 강연까지 하며 인생이 변화되었다는 이야기였다. 그 소식을 듣고 나는 눈앞의 이익만 바라보는 나의 얕은 셈을 반성하게 되었다. 또 어느 날은 유튜브를 통해 김미경 강사님의 강의를 듣는데, 김미경 강사님이 그러시는 거다. '여러분, 블로그에 매일 성실하게 뭐든 올려보세요. 그리고 지켜보세요. 어떤 일이 벌어지는지.'

원고료도 안 주는데 왜 블로그를 하는가를 생각하던 나의 얕은 생각을 뿌리 채 흔들어놓는 말이었다. 이후, 폭풍 검색하고 관련 영상을 살펴본 뒤 깨달았다. 꾸준히 성실하게 블로그를 운영하는 사람들에게 주어지는 기회들이 많다는 사실을 말이다. 내가 알아본 바로는 블로그 이웃이 많은 파워블로거에게는 광고가 붙어 수익이 발생하고, 꾸준히 자신의 일상과 취미를 올리다 관련 강연 및 책을 내는 경우가 종종 발생하고 있었다.

우물 안 개구리처럼 살던 내게는 매우 놀라운 일들이었다.

이 사실들을 알고 난 뒤, 세상의 변화를 알지 못하고 살아온 것을 반성했다. 그리고 당장 블로그를 시작했고 브런치 작가 신청도 했다. 블로그는 몇 년 전에 만들어 둔 것이 있었다. 무엇을 어떻게 해야 할지 몰라 망설여졌지만, 일기 비슷하게 나의 일상을 나누는 것으로 시작했다. 그리고 좋아하는 시와 책, 영화 소개도 하고 사람들에게 도움이 될 만한 글쓰기 작법을 쓰기도 했다. 그러다 보니 주변 친구들로만 구성되어 있던 이웃들이 점점 늘어 1천 명을 훌쩍 넘어서게 되었다. 물론 다른 블로거에 비하면 매우 적은 이웃들이지만, 이 정도도 신기하고 참 감사했다.

블로그를 키우고 싶다는 목적이 생기니, 어떤 글이든 쓰게 만드는 장점이 있었다. 또한 내가 쓰고 싶은 글을 써서 올렸는데 누군가가 '좋아요'를 눌러주면 그게 또 그렇게 기분이 좋았다. 칭찬받을 일이 별로 없는 세상에 모르는 그 누군가에게 잘했다고 칭찬받는 것이니 말이다. 덕분에 자존감도 높아졌다. 또 어떤 분들은 댓글도 남겨주는데 어떤 목적이든 댓글을 달아준 분에게 감사한 마음이 들었다. 물론 유익한 글이었다고 다정다감하게 댓글을 주는 분이 더 좋지만, 자신의 블로그를 홍보하기 위해 댓글을 남기는 분도 고맙다. 덕분에 블로그 안에서 벌어지는 마케팅에 대해 조금이라도 배우는 기회가 되었다.

다음 브런치 작가로 활동하려면 작가 신청을 해야 한다. 왜 브런치 작가를 하고 싶은지 타당성 있게 쓰고, 앞으로 어떤 글을 쓸 것인지 책 목차처럼 써야 통과가 된다. 나는 당연히 통과할 것이라 생각했는데 두 번이나 작가 반려가 되었다. 정말 충격이었다. 블로그처럼 누구나 글을 쓸 수 있는 시스템이 아니었던 것이다. 첫 번째 반려되었을 때는 그러려니 했다. 작가 신청 시 너무 성의 없이 했음을 인정한 것이다. 그래서 두 번째는 어떤 글을 쓰고 싶은지 나름 세심히 작성해서 보냈는데 또 반려가 되었다. 서운했다. 심지어, '브런치 작가가 그렇게 대단한 건가?' 하는 건방진 생각까지 들었다.

깨끗이 잊기로 했다. 브런치 작가! 해도 그만, 안 해도 그만이라는 생각이었다. 그런데 잠이 오지 않는 거다. 꼭 통과해야 마음이 편해질 것 같았다. 결국 자다 말고 일어나 뚜렷한 목표를 설정하고 그에 따른 타당성 있는 목차를 구성했다. 3일 후, 브런치 작가로 활동할 수 있다는 합격 메일이 왔다. 정말 기뻤다. 내게는 꽤 진입 장벽이 높았던 브런치 작가 관문이었다. 이후, 자주 들어가 글을 썼다. 이미 작가이거나 작가가 꿈인 사람들이 모여 글을 쓰는 곳이라, 이웃 작가님들 글 수준도 매우 높았다.

처음에는 원고료도 주지 않는 브런치에 왜 글을 올리는지 이해가 되지 않았다. 그러나 나 역시 원고료도 주지 않는 공간에 자꾸 글을 올리며 깨달았다. 그분들과 나, 그러니까 글 쓰는 일을 좋아하는 사람들에게 글쓰기는 숨 쉬는 것과 같은 것임을 말이다. 그래서 누가 보던지 보지 않던지 글을 올렸다. 몇몇 작가님은 많은 인기를 끌어 강연에 나갔고, 어떤 작가님은 브런치 공모전에 당선되어 출간까지 하는 쾌거를 이루었다. 그럴 만하다는 생각이 들었다. 그들의 글은 매우 수준이 높았고 내가 독자라도 사서 읽고 싶겠다는 생각이 들었기 때문이다.

그런데 조금 억울해지는 것이다. '나는 왜? 아무런 성과가 없지?' 하는 생각이 들었던 것이다.

결국 나는 브런치에 올린 글들을 모아 〈쉽고 편한 아들맘의 한글

교육〉이라는 책을 직접 출간했다. 처음부터 이럴 생각은 없었다. 갑자기 일이 커진 것이다. 발단은 1인 출판하는 방법에 대한 책을 읽은 뒤였다. 책 속 지은이는 전자책 출판을 스스로 하라고 강조했다. 그리고 직접 출판사를 등록하고 사업자등록증을 내면 이 모든 일이 가능하다고 격려했다. 그 책을 읽으며 용기가 났다. 지은이가 '전자책 출판은 너무 쉽다'를 강조했기 때문이다. 결국 나는 책에 쓰여 있는 대로 출판사를 등록하고 사업자등록증을 냈다. 전화 몇 통만 하면 절차를 금방 알 수 있었다. 그리고 내가 쓴 글을 PDF 파일로 만들고, 유통을 위해 교보문고, 예스 24, 알라딘 등과 같은 온라인 서점에 입점 문의 메일을 보냈다.(온라인 서점 홈페이지에 가면 담당자 메일이 있다.) 그리고 답변이 오면, 담당자가 하라는 대로 절차를 따르면 전자책 입점이 이루어진다. 그렇게 나는 한 달 만에 첫 책을 직접 출판사 차려서 출간했다. 이후, 종이책에 대한 아쉬움이 생겨 주문형 출판(POD)이 가능한 '부크크'라는 사이트를 통해 종이책 출간도 했다.

지금 이 글을 쓰면서도 놀랍다. 나는 언제나 내 글을 써서 공모전에 보낸 뒤, 뽑히기만 기다리는 드라마 작가 지망생이었다. 그런데 갑자기 출판사 대표이자 작가가 되었다. 놀랍지 않은가? 심지어 2021년 7월 첫 출간 후, 매 달 약간의 매출이 발생하고 있다. 통장에 찍히는 교보문고, 예스 24, 알라딘 등의 입금 내역을 보면서 이 모든 과정이 잘 믿어지지 않는다.

나는 또다시 깨달았다. 가고자 하는 그 길을 먼저 간 사람들의 행보를 세심히 살펴보고, 자꾸 그 길에 나를 데려가면 나 또한 원하는 그 길로 함께 갈 수 있음을 말이다.

물론 드라마 작가의 꿈을 완전히 버리지 않았지만, 1인 출판사의 대표이자 작가라는 명함이 생긴 이상, 이 길을 조금 더 가보려 한다.

이처럼, 인생은 계획과 다르게 나아간다. 그러나 그 뜻밖의 결과는 나를 글 쓰는 플랫폼으로 자꾸 데려갔기에 가능한 결과였다.

04. 왜 글 쓰는 일을 하고 싶은지 생각해보자

글 쓰는 일을 직업으로 하고 싶은 사람들은 좋아하는 일을 하며 돈도 벌 수 있음을 큰 가치로 여긴다. 나 또한 그랬다. 특별한 꿈 없이 학창 시절을 보낸 나는, 취업이 잘 될 수 있는 학과로 진학했다가 뒤늦게 '글 쓰는 일'을 하고 싶다는 꿈을 가졌다. 일을 하며 살아야 한다면 이왕이면 좋아하는 일, 잘할 자신이 있는 일을 하고 싶었고 그 일이 '글 쓰는 일'이었던 것이다.

20대의 나는 '드라마 작가'라는 꿈을 설정하고 그 꿈을 향해 달렸다. 하지만 장애물이 만만치 않았다. 부모님의 경제적 도움 없이 먹고, 입고, 거주할 곳을 챙겨가며 달려야 했던 것이다. 그래서 아르바이트를 했고, 배움을 더하며 나아갔다. 그 와중에 결혼을 했고, 출산 후 육아를 했으며, 돈을 벌기 위해 첨삭 일을 했다. 이제는 두 아이 모두 스스로 먹고 입을 수 있는 상태가 되었고 나는 다시 준비 운동을 하고 있다. 부릉부릉 두 발에 바퀴를 달고 씽씽

달리기 위해서 말이다.

몇 줄의 글로 말해버리니 쉽게 온 것 같지만, 목적지를 잃은 여행자처럼 참 많이도 힘든 시간들이었다.

이는 나만 겪는 일이 아닐 것이다. 돈을 벌어야 하는 이 세상의 모든 사람들이 같은 마음이지 않을까 싶다. 하고 싶은 일은 따로 있지만 그 일을 하자면 돈이 되지 않아서, 혹은 기회가 없어서, 상황이 되지 않아서 하지 못할 수 있다. 모두 그 어려운 상황 속에서 자신에게 가장 적합한 기회를 찾아 선택하며 나아가는 것이다.

여기서 확실히 짚고 넘어가야 할 것이 있다. 스스로에게 물어보자. 왜 하필 글 쓰는 일을 하고 싶은가? 수많은 직업들 중 왜 하필 글 쓰는 직업을 갖고 싶은지 물어보자.

♥ 잘할 수 있는 일이어서?

글 쓰는 일을 할 수 있는 곳에 꾸준히 지원을 해보자. 취업사이트에 들어가면 글 쓰는 일이 매우 다양하다. 기자, 카피라이터, 교정교열 편집자, 유튜브 시나리오 작가, 리라이팅 작가 등 글 써서 돈을 벌 수 있는 직업들이 꽤 있다. '내가 과연 그 일을 할 수 있을까?' 하는 생각은 접어두자. 처음부터 그 일을 잘할 수 있는 사람은 없다. 처음부터 경력을 가진 사람은 없다. 지원할 때, '같은 경험을 한 적은 없지만 꼭 하고 싶다. 그래서 샘플 작업을 스스로 해 보았다'며 습작한 글을 함께 보내자. 또 모른다. 인사관리 담당자의 마음에 쏙 들어 채용이 될 수도 있다.

♥ 돈을 벌고 싶어서?

생각을 조금 더 깊이 해보아야 한다. 글 쓰는 일로 돈을 많이 벌려면 뛰어난 능력을 가졌거나 운이 좋아야 한다. 회사에 입사하여 글을 쓰는 기자나 카피라이터, 출판사 소속 편집자 등의 직업은 일반 회사원의 월급은 받을 수 있다. 하지만 프리랜서 신분으로 일을 한다면 수익은 들쑥날쑥할 수밖에 없다. 물론 일이 쉼 없이 계속 있다면 규모 있게 사용했을 경우 불가능하지는 않다. 그렇지 않다면 평범한 생활 자체가 어려워질 수 있다.

♥ 작가라는 직업을 갖고 싶어서?

글 쓰는 직업은 공모전 등단 작가, 기업에 소속된 작가, 책을 낸 출간 작가, 구성작가, 드라마 작가, 홍보 동영상 시나리오 작가, 유튜브 시나리오 작가 등이 있다. 물론 능력과 운이 따라줘야 할 수 있는 일들이다.

나 또한 공모전으로 등단하길 원해 오랫동안 도전해 왔다. 그러나 작은 문예지에서의 수상은 종종 했으나, 원하는 드라마 작가로서의 등단은 아직 이루지 못했다. 이처럼, 글 쓰는 일 및 글 쓰는 직업은 공모전이든 회사든 뽑혀야 할 수 있다. 뽑혀야 돈을 벌 수 있는 길이 열리는 것이다. 모름지기 직업이란 돈을 벌 수 있어야 직업이라고 생각한다.

그러나 공모전에 뽑히지 않고도 작가라는 직업을 가질 수 있는 방법이 있다. 바로 자비출판이다. 자비출판은 출판사의 요청이 없어도 돈만 있으면 책을 낼 수 있다. 이왕이면 대형 출판사의 전폭적인 지지를 받으며 책을 내면 좋겠지만, 자신의 기획 아이디어를 충분히 반영할 수 있는 자비출판도 나쁘지 않다고 본다. 실제로, 로버트 기요사키의 책 '부자 아빠 가난한 아빠'도 자비출판으로 세상에 나왔지만 베스트셀러의 반열에 올랐다.

또, 돈이 전혀 들지 않는 '부크크'를 통한 출판도 생각해볼 만하다. 물론 양질의 원고가 준비되었을 때 가능하다. 부크크는 자가출판으로 볼 수 있는데, 주문이 들어오면 종이 인쇄에 들어가는 시스템이라 '작가'라는 타이틀을 원하는 사람이라면 얼마든 도전할 수 있다.

나는 이 책을 준비하면서 브런치에 올렸던 글들을 모아 '쉽고 편한 아들맘의 한글교육'이라는 제목으로 부크크 출간을 해보았다. 둘째 아이에게 한글을 가르쳤던 경험을 에세이 형식으로 낸 것이다. 또 전자책도 직접 만들어 출간해보는 경험도 했다. 그 결과, 오랜 경험을 쌓은 출판사를 통해 책을 낼 때와 부크크를 통해 자가 출판할 때의 장단점을 여실히 느끼고 있다. 둘 중 어느 것이 더 좋다고 말할 수 없지만, 확실한 것은 글 쓰는 일뿐 아니라 홍보, 마케팅까지 자신 있다면 부크크를 통한 출간도 괜찮을 것이라는 결론이다(기획출판보다 글을 쓴 작가가 인세를 많이 가져갈 수 있는 장점이 있다). 물론, 홍보와 마케팅에 자신이 없고 노력할 여력도 없다면, 전문 출판사를 통한 기획 출간이 좋을 것이다.

나 또한 이 글을 쓰며, 왜 글 쓰는 일을 하고 싶은지 깊이 생각해보았다. 앞서 말한 이야기 모두 내게 해당된다. 그러나 근본적인 이유는 하나였다.

잘 해내고 싶은 일!

글 쓰는 일은 세상에 있는 수많은 일 중 잘 해내고 싶은 일이었다. 그래서 나는 글 쓰는 일로 돈 벌기를 희망하며 그 좁은 길을 꾸역꾸역 왔던 것 같다.

후회? 후회 없는 인생이 있을까? 만약 내가 교사를, 의사를, 간호사를, 공무원을, 세무사를 꿈꿨다면 지금 보다 행복했을까?

모든 직업이 그렇겠지만 글 쓰는 일 또한 장점과 단점이 공존한다. 혹 단점이 크게 보이는가? 그렇다면 글쓰기를 취미로 갖자. 장점이 크게 보이는가? 그렇다면 주변 사람들 섣부른 걱정은 신경쓰지 말고 도전하자.

'글 쓰는 일로 밥벌이나 하겠니?'하고 걱정하는 사람들에게 자신있게 웃어줄 수 있다면, 당신은 당신을 믿고 나아가도 좋다. 꿈을 향해 나아갈 수 있는 열정과 자신감이 확실하다면 어떻게든 당신은 그 선택 속에서 길을 만들고 성장할 것이 틀림없기 때문이다.

05. 글 쓰는 일을 하는 사람의 자세

글 쓰는 일을 하는 사람이 가져야 할 첫 번째 자세는, 열린 마음이다.

마음이 열려 있어야 한다. 어떤 말과 어떤 상황이든 받아들여 수용할 수 있는 마음 말이다. 무조건 내가 옳다는 고집을 부려서는 안 된다. 더욱이 일을 막 시작한 초창기에는 업계에서 먼저 일을 하신 분들의 말을 들을 필요가 있다. 물론 그분들이 틀릴 수도 있다. 그러나 대부분의 사회생활이 그렇듯, 선배님들의 말을 듣는 것이 좋다. 아무래도 이제 막 시작한 사람보다 더 경험이 많고 잘 해낼 수 있는 능력이 있을 테니 말이다.

그렇다고 무조건 을처럼 낮아지라는 말이 아니다. 처음에는 수용해드리고, 같은 패턴이 계속 이어진다면 조심스럽게 의견을 말해야 한다. 특히 글 쓰는 사람들은 이 부분을 설명하기가 어렵긴 하다.

'글'이라는 것이 보는 사람의 수준과 배경지식, 상황에 따라 고쳐야 할 필요성 유무가 달라지기 때문이다. 그럼에도 불구하고 모두가 '오케이'를 외치는 글은 분명히 있다. 그 경지에 오르기까지는 열린 마음으로 받아들일 수 있는 자세가 필요하다.

두 번째, 할 수 있다는 마음으로 도전할 수 있어야 한다.

글 쓰는 일은 찾기로 마음먹으면 무궁무진하다. 더욱이 요즘은 글 쓰는 일의 종류가 매우 다양하다. 문제는 우리 능력의 문제다. 다양한 글 쓰는 일들을 해본 경험이 많지 않은 것이다.

나 역시 그렇다. 그래서 글 쓰는 일 앞에서 늘 도전이었다. 심지어 교정교열과 글쓰기를 전문적으로 배운 적이 없는 나는, 늘 맨땅에 헤딩하기였다. 물론 관련 학과를 전공하기는 했으나 실전에서의 교정교열과 글쓰기는 차이가 있었다. 덕분에 말도 안 되는 열정페이로 일을 시작했었고, 나도 내 능력을 믿지 못해 샘플 작업을 먼저 제안하기도 했다. 요즘은 글 쓰는 일과 관련한 수업이 꽤 있는 것으로 알고 있다. 수업을 통해 실전에서의 글쓰기를 배운다면 그것 또한 지혜롭다고 생각한다.

그런데 나처럼 해본 적 없지만, 일을 할 수 있는 기회가 주어졌다면? 미리 겁먹지 말고 도전하는 뻔뻔함도 필요하다. 당신이 신입인 줄 알면서도 당신의 글짓기 수상 경력이나 전공에 대한 믿음으로 뽑아준 회사라면, 그 정도 각오는 하고 있을 것이다. 물론 처음에는 서로 민망한 상황에 처할 수 있지만, 열심히 배워서 하겠다는 자세로 성실히 나아간다면 용서가 된다. 더욱이 첫 결과물에 대한 평가를 받았다면 무엇이 잘못되었는지 배웠을 테니, 회사가 원하는 수준으로 끌어올리고자 노력하면 된다. 그렇게 시작하면 된다. 처음부터 경력자는 없다.

세 번째, 원고료에 대해 명확히 상의하고 일을 시작해야 한다.

신입인데 돈 이야기부터 하면 안 좋게 보일까 봐 말도 꺼내지 못하고 시작한 적이 있었다. 무조건 주는 대로 받겠다는 마음이었다. 혹시 돈을 받지 못하더라도 일을 경험한 것으로 충분하다는 생각이었다.

그러나 그 생각은 틀렸다. 홍보 동영상 시나리오 작업을 했었는데, 끝내 돈을 받지 못했다. 원고료를 받지 못한 일이라 이력서에 올릴 수도 없었다. 그리고 관련 업무는 더 이상 도전하지 않게 되었다. 돈을 받지 못한 작업에 대해, 나라는 사람은 두 가지 마음이었던 것 같다. 돈을 주고 싶지 않을 만큼 형편없는 결과물일 것이라는 상상과 그쪽 업계는 모두 그럴 것 같다는 망상.

이를 통해, 일을 하기 전에 원고료의 정확한 산정과 입금 날짜를 확실히 해두고 일을 시작하는 것이 중요하다는 것을 알았다. 그러니 아무리 신입이라도 글쓰기 노동의 대가를 명확하게 협의하도록 하자.

마지막으로, 나를 믿어줘야 한다.

글 쓰는 일은 컴퓨터 활용능력을 배우듯, 배워서 백 퍼센트 잘 해낼 수 있는 일이 아니다. 혹 글 쓰는 방법과 기술을 배웠어도 쓰는 사람의 능력과 센스가 더해줘야 좋은 결과물이 나올 수 있다.

취재작가가 현장 인터뷰를 녹음해서 파일을 보내면, 내가 그 파일을 듣고 정보성 기사로 쓰는 작업을 한 적이 있었다. 참 막막했다. 왜냐하면 내가 인터뷰를 직접 한 것이 아니라 현장 상황을 소리로만 상상해야 했고, 그 지역 은어와 사투리를 쓰시는 인터뷰이(질문에 답하는 사람)의 말을 해석하며 글로 만들어야 했기 때문이었다. 또 어떤 부분은 인터뷰 질문은 안 하고 서로의 근황 이야기만 하다가 끝난 파일도 있었다. 이처럼 글 쓰는 일을 할 때는 벽에 부딪힌 것 같은 막막함에 처할 때가 꽤 많다. 그때마다 좌절한다면 끝까지 해낼 수 있는 일이 별로 없을 것이다.

나를 믿어줘야 한다. 소리가 잘 들리지 않아도, 무슨 말인지 이해가 되지 않아도 포기하지 않고 '나는 할 수 있다'고 믿어줘야 한다. 당시 나는 최대한 현장 상황을 상상하며 기사를 만들었고, 잘 안 들리는 부분은 00으로 처리해서라도 완수했다. 그리고 00으로 처리한 부분은 취재기자 및 인터뷰이와 직접 통화해 마무리했다. 비록 00으로 처리한 부분이 있더라도, 녹음 파일에 문제가 있었음을 말하고 다시 채우면 되는 것이다. 나를 믿고 일단 쓰자. 써서 마침표를 찍자. 그래야 글 쓰는 일을 지속할 수 있다.

06. 글 쓰는 일의 종류와 Q&A

글을 써서 돈을 벌 수 있는 방법은 대부분의 사람들이 생각하는 것보다 세부적으로 존재한다. 다만 그 일들을 할 수 있는 마음 자세가 되어 있는지가 중요하다. 자신의 작품세계를 펼치지 못하는 것에 조금이라도 힘든 마음이 든다면, 시작이 어렵기 때문이다. 글 쓰는 일을 할 때, '자신의 작품 세계를 펼치고 싶은지', '글 쓰는 직업으로 돈을 버는 것이 목적인지' 확실히 해야 한다.

대부분의 사람들이 생각하는 글 쓰는 일은 시와 소설, 에세이, 동화 등의 글을 출간하여 인세를 받는 것이다. 사람들은 '글 쓰는 일'을 한다고 하면 책을 출간했냐고 묻는다. 혹, 책을 출간했다고 하면 인세를 받아 좋겠다고 한다. 그러나 인세로 밥벌이를 할 수 있는 작가는 상위 몇 프로 빼고는 없는 것으로 안다.

또한 방송 프로그램을 구성하는 구성작가와 드라마 작가, 시나리오 작가로 활동하는 방법이 있다. 구성작가의 경우 필요로 하는 수요가 많아 꽤 접근성이 높은 편이다. 물론 방송아카데미 등의 수업을 듣고 자격을 갖춘 경우, 면접의 기회가 주어진다. 그러나 드라마 작가와 시나리오 작가는 거의 고시에 붙는 것과 같은 수준으로 닿기 어려운 일이다. 대부분 공모전을 통해 등단을 하는데, 이마저도 운이 좋아야 대중들에게 사랑받는 작가로 오랫동안 활동할 수 있다.

그 외에도 사보 작가, 웹진 작가, 교정교열 및 편집, 리라이팅, 콘텐츠 작성 작가, 유튜브 시나리오 및 구성작가, 게임 시나리오 작가, 스크립터, 평론가, 번역 작가, 카피라이터, 홍보영상 시나리오 작가, 출판사 편집자 및 출간 작가 등이 있는데 이 또한 관련 경험 및 능력이 검증되어야 시작할 수 있다. 그나마 이런 종류의 일들은 근무여건 및 글쓰기 능력, 열정이 있다면 시작할 수 있는 기회가 꽤 있는 편이다.

여기서, 궁금해할 만한 질문을 미리 예측하여 답변해보도록 하겠다. 내가 경험한 범위 안에서만 답변을 드릴 수 있음에 미리 양해를 구한다.

【Q. 글 쓰는 일을 할 때, 학력과 나이를 보나요?

A. 글 쓰는 일 중 작가의 작품관을 마음껏 펼칠 수 있는 순수문학 및 드라마 작가의 경우, 전공이나 학력, 나이를 보지 않는 것으로 알고 있습니다. 그야말로 작품 하나만으로 평가가 가능한 것입니다. 그 외의 글 쓰는 일들은 회사의 근무 여건 및 상황에 따라 학력과 나이를 보는 경우도 있는 것으로 알고 있습니다. 물론, 그 누구도 거부할 수 없는 실력과 경험을 보유하셨다면 학력과 나이 따

위는 보지 않을 것입니다.

Q. 글 쓰는 일은 어떻게 구하나요?

A. 글 쓰는 일 또한 채용공고를 통해 채용하는 경우가 대부분입니다. 특히 공공기관이나 대기업의 경우 홍보팀 소속으로 채용하므로, 자격증 및 학력, 경력 등을 보는 것으로 알고 있습니다. 물론 프리랜서로 일할 경우 나이나 기타 조건 상관없이 업무 능력만 보고 일을 맡기기도 합니다. 여기서 업무능력이란, 그동안 해 온 글 작업의 종류가 될 것입니다.

저의 경우 주로 취업사이트를 통해 지원을 했습니다. 글 쓰는 일을 꼭 하고 싶다는 열정만 있다면 매일 로그인하여, 다양한 회사에 지원해보시기 바랍니다. 구하고 두드리는 것 밖에 방법은 없습니다.

Q. 관련 경험이 없는데, 도전해도 될까요?

A. 네, 도전하시길 권유합니다. 글 쓰는 일뿐 아니라 어떤 일이든 도전 앞에서 망설이지 않으시길 바랍니다. 문을 두드려보지도 않고 열리지 않을 것이라 예상하며 돌아서지 않길 바랍니다. 자신이 가진 능력이 부족해 보여도 일단 부딪혀 봐야, 무엇을 보강해야 할지 알 수 있습니다. 처음부터 못한다고 생각하지 마시고 부딪혀서 성장하시길 바랍니다. 특히, 글 쓰는 일은 그 일을 잘할 수 있는 능력을 우선으로 보기 때문에 일단 두드려보는 것이 현명합니다. 저의 경우 1~2장의 샘플 테스트 후, 채용된 경우가 종종 있었습니다.

Q. 어떻게 해야 글 쓰는 일을 잘할 수 있나요?

A. 저 또한 하고 싶은 질문입니다. 그럼에도 불구하고, 관련 일을 해온 사람으로서 답을 드리자면 '주제 파악'을 잘하면 된다고 말씀드리고 싶습니다. 글 쓰는 일을 구하는 회사마다 '목적'이 있습니다. 때문에 그 목표에 맞게 글을 잘 쓸 수 있어야 합니다. 예를 들어 연구 성과집 편집이라면, 연구자의 목표와 진행과정 그리고 결론이 잘 드러나도록 편집해야 합니다. 혹 원본에 그런 내용들이 드러나지 않는다면, 어떻게든 주어진 글을 바탕으로 연구 성과집의 목표가 드러나도록 수정해야 합니다. 이것이 편집자의 역할입니다.

물론, 글 쓰는 일을 잘하는 근본적인 방법은 평소 책을 많이 읽고 짧게라도 자기 글을 쓰는 시간을 매일 갖는 것입니다. 글도 자꾸 쓰지 않으면 퇴보합니다. 때문에 매일 쓰는 시간을 가져야 글쓰기 실력이 늘고, 이는 글 쓰는 일을 할 때도 도움이 됩니다. 저의 경우 다음 브런치와 네이버 블로그를 통해 글을 쓰고 있습니다.

Q. 프리랜서는 어떻게 자기 홍보를 하나요?

A. 프리랜서는 스스로 영업사원이 되어 자신을 홍보해야 합니다. 제가 아는 분은 관련 커뮤니티 카페에 자신이 그동안 해왔던 일들을 이력서 형식으로 올립니다. 너무 자주 올리는 것은 문제가 있겠지만 가끔 올리며 자신을 홍보하는 것은 좋은 것 같습니다. 또 요즘은 블로그 및 유튜브를 키워, 자신이 어떤 일을 할 수 있는 사람인지를 어필하는 경우가 많습니다. 또 커뮤니티를 보면 프리랜서들의 모임 및 책 만들기, 편집, 작가 지망생들의 모임 등이 있습니다. 검색해서 가장 가입률이 높은 곳에 가입하시면, 관련 일을 구하는 구인 글이 올라옵니다. 그때 얼른 이력서와 자신이 쓴 글들을 보내는 것도 방법입니다.】

글 쓰는 일뿐 아니라 어떤 일이든 스스로 두드려 기회를 만드는 것이 최선이다. 이는 진리다. 또한 어떤 분야든 첫 시작이 어렵지, 그 시작을 필두로 관련 일을 구하는 것은 점점 쉬워진다는 사실이다. 물론 이 분야도 경쟁은 존재한다. 혹, 원하는 일을 할 수 없더라도 실망하지 않길 바란다. 회사가 나를 채용하지 않는 것은 내 실력 때문만은 아니다. 원고료 및 근무여건에 대한 협의 불일치, 나이 및 가치관의 차이, 거주 지역 및 성별과 나이 등 다른 이유가 존재할 가능성도 있다.

그러니 우리가 할 수 있는 것은, '도전'이다. 되도록이면 많은 일에 도전해야 한다. 단, 떨어져도 실망하지 않고 아무렇지 않게 다시 도전할 수 있는 자세가 필요하다. 그래야 글 쓰는 일을 지속할 수 있다.

글 쓰는 일, 글 쓰는 직업에 정해진 길은 없다. 그래서 더 흥미진진하고 지루하지 않다. 여러분이 가는 그 길이 또 하나의 글 쓰는 길이 되길 희망하며 힘껏 응원한다.♥

♥

에필로그. "꿈을 향해 나아가는 인생"

아무도 시키지 않았지만 저는 아침 9시면 책상에 앉아 글을 썼습니다. 글 쓰는 게 재미있었냐고요? 네, 반은 그렇고 반은 그렇지 않습니다. 제가 쓴 글들이 모두에게 가 닿을 수 없고, 모든 글들이 밥이 될 수는 없을 테니 말입니다.

글 쓰는 일을 16년 넘게 해왔습니다. 16년 넘게 하면서 느낀 것은, 정말 쉽지 않다는 것입니다. 어떤 분야든 쉽게 할 수 있는 일은 없습니다만, 글 쓰는 일은 특히 더 그렇습니다. 더 솔직히 말하자면, 글 쓰는 일과 글 쓰는 직업으로 돈을 지속적으로 벌기가 참 쉽지 않습니다. 적어도 저는 그랬습니다. 그리고 제가 아는 출간 작가님, 공모전 당선 작가님 대부분 다른 직업을 갖고 계십니다. 글 쓰는 직업으로만은 생활이 어렵기 때문입니다. 그래서 저처럼 교정교열, 수정첨삭, 리라이팅 등의 일을 병행하거나 전혀 다른 직종에 종사하시며 글 쓰는 일은 가끔 하시는 경우가 많습니다. 최근에 제가 출판사를 직접 차려 책을 출간한 것도 비슷한 이유입니다.

여러분은 저와 다르길 희망합니다. 글 쓰는 직업을 갖고 살아온 저의 지난 행적이 여러분에게 반면교사가 되길 바랍니다.

여러분이 뛰어난 글쓰기 능력으로 더 좋은 기회를 만나길 바랍니다. 그래서 최고의 작가! 돈 잘 버는 글 쓰는 직업인이 되길 응원합니다.

앞으로도 저는 꿈과 목표를 갖고 도전하는 인생을 살아갈 것입니다. 꿈과 목표는 저를 더 성장시키는 마중물이 되기 때문입니다.

왜 하필 글 쓰는 직업이냐고요? 민망한 대답입니다만,

"글 쓰는 일은 제가 반드시 잘 해내고 싶은 일이기 때문입니다."

사랑의 하나님께서 허락하신다면 글 쓰는 일, 글 쓰는 직업 놓지 않고 계속 도전하며 성장하겠습니다. 감사합니다.

이 책을 읽어준 당신을 축복하며
글로리 올림

God bless you!